ROMPRE LE SILENCE

Mechtild Borrmann

ROMPRE LE SILENCE

Traduit de l'allemand par Marlène Husser

ÉDITIONS DU MASQUE
17, rue Jacob 75006 Paris

Titre original
Wer das Schweigen bricht
publié par Pendragon Verlag (Allemagne)

Couverture :
Maquette : We-We
Photographie : © Tour Meadow/Arcangel

ISBN : 978-2-7024-3836-7

© 2011, Pendragon Verlag Bielefeld
Cet ouvrage a été proposé à l'éditeur français
par l'agence EDITIO DIALOG, Lille.
© 2013, Éditions du Masque, département des éditions
Jean-Claude Lattès, pour la traduction française.

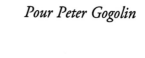

Pour Peter Gogolin

*L'Histoire, facile à penser, difficile à voir
pour tous ceux qui la subissent dans leur chair.*

Albert Camus (1913-1960)
Carnets III, mars 1951-décembre 1959

Les personnages

Autrefois

Les amis d'enfance

Therese Pohl	Née en 1922
Leonard Kramer	Né en 1921
Hanna Höver	Née en 1921
Jacob Kalder	Né en 1920
Alwine Kalder	Née en 1922
Wilhelm Peters	Né en 1920
Siegmund Pohl	Médecin, père de Therese Pohl
Margarete Pohl	Mère de Therese Pohl
Gustav Höver	Agriculteur, père de Hanna et Paul Höver
Hollmann	Hauptsturmführer SS

1998

Robert Lubisch	Médecin, fils de Friedhelm Lubisch
Rita Albers	Journaliste
Karl van den Boom	Brigadier-chef de police
Steiner	Commissaire principal
Brand	Commissaire de police
Theo Gerhard	Brigadier-chef de police
Thomas Köbler	Journaliste et ami de Rita Albers
Tillmann et	
Therese Mende	Chef d'entreprise

1

12 novembre 1997

Un profond silence régnait. En avait-il toujours été ainsi ?
Robert Lubisch, debout à la fenêtre, regardait le jardin.

À l'autre extrémité de l'immense propriété, les silhouettes presque bleues des sapins de Douglas se détachaient
sur le ciel d'un blanc laiteux. Le brouillard matinal couvrait
la pelouse de filaments cotonneux, s'enroulait autour des
buissons de rhododendrons et du socle de la Diane chasseresse
grandeur nature qui grelottait vaillamment, un arc à la main.
Elle avait toujours grelotté ainsi, excepté en été, quand le
soleil de midi dardait ses rayons sur le jardin et conférait à sa
pierre une tonalité chaude et dorée.

Il se souvenait du jour où elle avait été installée. Il avait
fallu démonter une partie de la grille pour permettre au
camion de pénétrer dans le jardin. Il avait alors onze ou douze
ans. La robe de Diane ne couvrait pas son sein droit, et au
cours des premières semaines, quand il pensait que personne
ne l'observait, il grimpait sur le socle pour caresser l'aréole
parfaitement modelée. Les petites aspérités et le mamelon lisse
et froid lui avaient donné ses premiers émois sexuels.

15

Il se représenta Diane dans son petit jardin de Hambourg, coincée entre la terrasse et la haie qui bordait la propriété du voisin, et sourit.

Trop imposante, comme tout ce qui concernait son père. Tout lui avait toujours paru démesuré : les gestes, la maison, les fêtes, les discours, les exigences et les attentes.

Il confierait Diane à l'antiquaire qui allait vendre les tableaux, les meubles, les sculptures et les livres. Qui sait, peut-être les acquéreurs de la maison seraient-ils intéressés.

Robert porta le carton qui contenait des documents, le coffret à bijoux de sa mère et les livres dont il ne voulait pas se séparer dans le hall d'entrée. Là, il avait rangé le long du mur quelques rares tableaux et sculptures enveloppés dans du papier bulle. C'étaient tous les objets qu'il comptait emporter à Hambourg.

Vendre la maison avait été une décision logique et sage, mais qui l'attristait désormais. Il avait été proche de sa mère, morte six ans auparavant, mais il n'avait jamais été à la hauteur des espoirs que son père avait mis en lui. Et à présent, dans cette maison qui se vidait petit à petit, il prenait conscience qu'il n'aurait plus jamais d'efforts à faire, mais aussi – et c'était bien là le plus douloureux – qu'il resterait à jamais imparfait.

Son regard se posa sur le large escalier tournant en bois d'acajou qui reliait le hall d'entrée au premier étage. Enfant, il s'amusait à glisser sur la rampe impeccablement cirée.

Cette villa située près d'Essen, entre la forêt de Schellberg et le lac de Baldeney, avait beaucoup compté pour son père, symbole d'un statut social que très peu de gens pouvaient atteindre. Au fil des ans, ses parents s'y étaient sentis chez eux et, après la mort de sa mère, son père avait continué à y habiter. Huit chambres, plus de trois cents mètres carrés.

Il retourna dans le bureau.

C'était ici que Mme Winter, la gouvernante qui s'occupait de la maison depuis trente ans, avait trouvé son père dix jours plus tôt, assis dans son fauteuil, ses lunettes de lecture sur le nez et un journal sur les genoux. « Il avait l'air occupé », avait-elle dit au téléphone, et quand Robert lui avait demandé s'il était mort paisiblement, elle avait répondu : « Très occupé, jusqu'à la fin. »

L'avis de décès qu'il avait fait paraître au nom de la famille avait été éclipsé par ceux d'une demi-page, voire d'une page entière, insérés par le conseil municipal, l'Association des personnes exilées et l'entreprise Lubisch.

Plus de deux cents personnes avaient rendu un dernier hommage à son père. Le chœur avait chanté : « Grain de blé qui tombe en terre, si tu ne meurs pas... » et au cimetière, trois trompettes avaient sonné le glas. Les couronnes mortuaires étaient si nombreuses qu'on les avait empilées, rendant leurs rubans illisibles. Ils étaient tous venus : le maire, les services de l'urbanisme, le conseil municipal, diverses sociétés avec lesquelles son père avait travaillé, l'Association des personnes exilées – qui avait hérité de son vivant d'une partie de sa fortune – et bien sûr l'entreprise Lubisch, qu'il avait vendue peu de temps auparavant et qui s'appelait alors la SARL Lubisch. Le nom avait été conservé, le vieil homme l'avait exigé.

Robert fit glisser ses doigts sur le plateau lustré du bureau en noyer. Il n'avait guère revu son père depuis la mort de sa mère, ne lui rendant visite que lorsqu'il le fallait : pour les anniversaires, Pâques et Noël. Son père avait rêvé de le voir lui succéder à la tête de son entreprise de construction. Quand il avait choisi de devenir médecin, les liens s'étaient rompus. Par la suite, ils avaient évité d'aborder le sujet, mais il avait cependant continué à les diviser, et Robert avait toujours entendu un reproche dans la voix de son père quand la discussion portait sur sa société.

Ce dernier avait dirigé l'entreprise jusqu'à sa soixante-quatorzième année, s'entêtant à croire que son fils finirait par changer d'avis, par entendre raison.

Robert Lubisch jeta un coup d'œil à sa montre. L'agence immobilière et les premiers acheteurs potentiels devaient venir à neuf heures. S'ils désiraient acquérir une maison vide, il lui faudrait faire appel à une entreprise de débarras.

Cette pensée le fit tressaillir. Il se fit l'effet d'être une brute. Que resterait-il du grand Friedhelm Lubisch ? Une simple raison sociale et les quelques symboles entreposés dans le hall d'entrée que Robert regarderait de temps en temps, une fois emportés à Hambourg.

Il vida les tiroirs du bureau. Au fond de l'un d'eux, il trouva des lettres de sa mère soigneusement ficelées ensemble. Il sourit. Une autre facette de la tête de mule qu'avait été son père. S'il vivait encore, il nierait tout sentimentalisme et prétendrait les avoir gardées pour faire plaisir à son épouse.

Près des lettres, il découvrit une boîte à cigares en bois sombre et délicatement veiné. Le couvercle était incrusté d'un ovale en nacre gravé d'un cheval de trait tirant une lourde carriole. L'inscription pyrogravée « Tabac 100 % origine Brésil » était un peu effacée. À l'intérieur, il découvrit une carte d'immatriculation SS, un laissez-passer et un certificat de libération d'un camp de prisonniers de guerre. Tout au fond se trouvait une photo couleur sépia aux bords dentelés et jaunis représentant une jeune femme. La photo de la carte d'immatriculation était méconnaissable, mais le nom était encore lisible : Wilhelm Peters. Le laissez-passer n'était pas nominatif. Seul le certificat de libération du camp de prisonniers de guerre portait le nom de son père.

Robert observa attentivement ces papiers. Les taches noires sur la carte d'identité étaient du sang. Son père était originaire de Silésie, il avait été simple soldat et emprisonné à la fin de la guerre. Pourquoi était-il en possession des papiers d'un inconnu ?

Il entendit la voiture de l'agent immobilier monter l'allée qui menait à la maison, remit les documents à leur place, ferma la boîte à clef et la jeta dans le carton où se trouvaient déjà les albums photos et les documents dont il voulait s'occuper une fois rentré chez lui.

En arrivant à Hambourg, cette nuit-là, il remisa le carton dans un coin de son bureau. Trois mois s'écoulèrent avant qu'il ne s'y intéresse de nouveau.

2

18 février 1998

Ce soir-là, assise dans le salon, Maren Lubisch feuilletait des albums photos. Robert s'installa près d'elle et regarda avec étonnement les clichés qui montraient son père à quarante ans. Maren rit.

— Si je ne le savais pas, je dirais que c'est toi.

Le même front haut et les cheveux grisonnant prématurément, le nez droit et la petite bouche à l'expression un peu sévère. De sa mère, il n'avait hérité que la silhouette. Alors que son père, sur les photos, paraissait plutôt trapu, Robert avait des membres fins et longs.

Sur l'une des photos, ils étaient tous les deux dans le bureau. Robert devait avoir neuf ou dix ans et était assis sur le bras du vieux fauteuil en acajou, à côté de son père. Tous deux avaient l'air surpris. Quand Maren voulut tourner la page, Robert posa une main sur l'album et le tira à lui.

Sur la photo, on pouvait voir une boîte à cigares ouverte, placée sur un sous-main.

— Attends.

Robert alla chercher la boîte trouvée dans la villa de son père et la posa à côté de l'album.

— Regarde.

Il désigna la boîte sur le cliché, et la nervosité le gagna, comme quand les contours d'une histoire oubliée depuis longtemps refont soudain surface. Il était certain d'avoir déjà vu les documents qu'elle contenait.

Il passa les doigts sur l'incrustation ovale en nacre et souleva le couvercle. Le parfum atténué d'un tabac de qualité, sucré et âpre à la fois, l'assaillit. Et avec lui, les souvenirs. Il lui sembla sentir la pression de l'accoudoir sous ses fesses et ses cuisses et se remémora ces rares moments d'intimité partagés avec son père.

« J'ai déserté », entendit-il la voix du vieil homme lui dire de très loin.

Son père avait combattu dans le Rhin inférieur dans une division de blindés, et quand les Alliés avaient lancé leur grande offensive et que ses deux meilleurs amis avaient péri à ses côtés en l'espace de quelques minutes, il avait perdu tout contrôle de lui-même.

Et voila que Robert s'en souvenait, à présent.

Son père avait dit : « J'étais comme fou et j'ai couru. Je ne désirais qu'une chose, partir, fuir le front et tous ces morts. »

Et un de ces morts était le Scharführer SS Wilhelm Peters. Il portait ce document d'identité, une page A4 pliée, dans sa poche de poitrine. Le sang coagulé avait rendu la photo méconnaissable. Dans les poches du manteau de Peters, son père avait trouvé le laissez-passer et un petit portefeuille en cuir. Après avoir pris le manteau, la veste ainsi que les papiers du mort, il avait réussi à traverser les lignes allemandes et à rallier la Ruhr en se faisant passer pour le Scharführer SS Wilhelm Peters. Il voulait rentrer chez lui, à Breslau, mais la rumeur disait que les Russes occupaient la ville et que les civils fuyaient par convois entiers. Dans la Ruhr, il s'était débarrassé du manteau et de la veste et avait été fait prisonnier sous son véritable nom, Friedhelm Lubisch. Il n'avait été libéré qu'en 1948.

Il avait essayé de retrouver ses parents et sa sœur, mais au bout de deux ans, la Croix-Rouge lui avait annoncé qu'ils étaient restés à Breslau et qu'ils y étaient morts.

Robert Lubisch resta longtemps silencieux.

Le soir, il se rendait souvent dans le bureau de son père pour l'écouter raconter cette histoire, encore et encore. Dans ces moments-là, ils étaient très proches.

Maren sortit de la boîte le portrait de la femme.

— Qui est cette femme ? Il t'en a parlé ?

Robert secoua la tête.

— Non. Il ne m'a jamais montré cette photo, du moins, pas que je m'en souvienne.

— Pourrait-il s'agir de ta grand-mère ou de ta tante ?

— C'est possible.

Maren retourna la photo. Au dos, on pouvait lire : *Atelier de photographie Heuer, Kranenburg*. Elle lui montra l'envers du cliché.

— Kranenburg se trouve dans le Rhin inférieur, n'est-ce pas ? Peut-être que cette photo aussi, comme les papiers, appartenait à Wilhelm Peters. C'était peut-être sa femme ou sa petite amie.

Ils continuèrent à émettre des hypothèses jusque tard dans la nuit, et alors qu'ils se demandaient qui pouvaient être cette femme et cet homme, ce Scharführer SS – Maren répétait « Scharführer SS » en faisant siffler les « s » entre ses dents comme pour souffler une bougie –, les documents devinrent, tout à coup, importants, lourds de sens. L'homme était mort, la femme aussi, sans doute. Robert et Maren tenaient tour à tour la photo sur laquelle cette femme souriait d'une manière presque intime. On ne sourit pas ainsi à un inconnu ou à un photographe. Qui d'autre était présent ? Wilhelm Peters ? Le père de Robert ? Lui aussi avait séjourné à Kranenburg, à la fin de la guerre.

— Peut-être qu'elle vit encore ? dit Maren.

Ils ne dirent rien de plus, et Robert ne prit aucune décision, mais cette histoire continua de le hanter. Peut-être cette femme avait-elle été la petite amie de Wilhelm Peters, mais elle avait aussi pu être proche de son père, ce qui expliquerait pourquoi il avait conservé cette photo pendant toutes ces années. Mais pourquoi ne l'avait-il jamais montrée ? Pourquoi n'avait-il jamais parlé de cette femme ?

L'idée que ce père si droit, si irréprochable, ait pu cacher un secret ne déplaisait pas à Robert. Peut-être allait-il enfin découvrir une faiblesse, une faille à ce modèle si parfait auquel il avait été confronté pendant tant d'années.

Robert sourit. Quelle libération ce serait pour lui de pouvoir donner à ce père tout-puissant une dimension plus humaine ! Il avait envie de savoir. Rien que pour lui-même.

3

20 avril 1998

Après un hiver clément, le printemps était précoce. Depuis quelques jours, le thermomètre affichait 25 °C, une température estivale. Dans le Rhin inférieur, les prairies d'un vert profond étaient émaillées de pissenlits jaunes et de cardamines qui hissaient leurs petites fleurs roses au sommet de leurs longues tiges. Les fermes et les villages, dont les maisons étaient tapies dans l'immensité de la plaine, semblaient avoir été semés au hasard par la main d'un géant.

Ayant été convié à un congrès à l'université Radboud de Nimègue, Robert Lubisch avait décidé de profiter de l'occasion pour s'arrêter à Kranenburg et y chercher l'atelier de photographie Heuer.

Il arriva dans la ville en fin de matinée. Un rond-point, suivi d'une rue large au tracé rectiligne, bordée de maisons de brique rouge foncé qui se pressaient des deux côtés comme des badauds. Des petits commerces et des cafés aux toits pentus, mais peu de monde dans les rues.

Il se gara le long du trottoir et se dirigea vers un restaurant aux fenêtres ornées de stores d'une blancheur éclatante. Sur les tables couvertes de nappes amidonnées couleur crème, on avait posé de petits vases en porcelaine garnis de bouquets artificiels multicolores faciles à dépoussiérer avec un plumeau. Près du comptoir, un tableau noir à la belle calligraphie vantait les spécialités aux asperges. Il était encore tôt, le restaurant était vide.

Une femme rondelette se tenait derrière le comptoir. Elle ouvrait du courrier avec un couteau à viande et laissait négligemment les enveloppes vides tomber dans la corbeille à papier posée à ses pieds. Un homme d'un certain âge assis en face d'elle devant un verre de bière à moitié vide fumait une cigarette sans filtre. Quand Robert se planta devant le comptoir, ils le regardèrent d'un air interrogateur. Il salua.

— Nous ne servons que dans une heure, à midi, dit la femme.

Robert secoua la tête.

— Merci, je ne souhaite pas déjeuner.

Il commanda un expresso, tira le portrait de la poche de sa veste en lin et dit en hésitant :

— Je me demandais si vous pourriez m'aider.

Il posa la photo à l'envers sur le comptoir, désigna le tampon qui y figurait et dit en souriant, mal à l'aise :

— Je cherche l'atelier de photographie Heuer. Il a sans doute fermé depuis, mais...

La femme, vraisemblablement la patronne, l'interrompit :

— Heuer, oh là là, ça fait bien vingt ans qu'il n'est plus là.

L'homme se pencha à son tour, opina du chef et renchérit :

— Peut-être même depuis plus longtemps.

Il se tourna et indiqua vaguement une direction.

— L'atelier se trouvait là-bas, au coin. Linnen y a ouvert son agence d'assurances.

— Oui, c'est ça, dit la femme, qui ne prêtait plus aucune attention à son courrier, mais avant Linnen, c'est Wiebke Steiner qui y vendait des vêtements pour enfants.

25

Elle croisa les bras et regarda Lubisch avec méfiance.

— Et pourquoi vous voulez savoir ça ?

Il hésita, pensant un instant qu'il ferait mieux de ne pas montrer le portrait de la femme. C'était stupide, il en avait conscience. Il retourna la photo.

— Connaissez-vous cette femme ?

La patronne prit la photo et la regarda attentivement.

— Elle est de Kranenburg ?

Lubisch haussa les épaules.

— Je ne sais pas. Je sais seulement que ce portrait a été fait dans l'atelier Heuer.

La femme passa le cliché au vieil homme. Il le prit entre ses doigts tachés de nicotine, étendit les bras pour l'éloigner le plus possible et l'examina en plissant les paupières. Puis il haussa lui aussi les épaules.

— Je ne suis pas né ici, je n'ai emménagé qu'en 1962, et la photo est sûrement plus ancienne que ça. Mais le vieux Heuer est encore en vie. Il doit avoir près de quatre-vingt-dix ans.

La patronne affichait à présent ouvertement sa curiosité.

— Et qu'est-ce que vous lui voulez, à cette femme ? Je veux dire… pourquoi vous la cherchez ?

Robert Lubisch mentit sans savoir pourquoi. Un sentiment de malaise le gagnait. Il répondit un peu trop vite :

— Ma mère est morte, c'était sa meilleure amie quand elle était jeune. Je passais ici par hasard et je me suis dit que je pourrais peut-être la retrouver.

La vapeur sous pression du percolateur émit un dernier sifflement et la gérante déposa l'expresso devant Lubisch.

— Et comment elle s'appelle ?

Elle avait posé la question après un silence un peu plus long, comme si elle se demandait si elle devait croire cet étranger.

— Je ne le sais pas, malheureusement.

La femme croisa les bras sous sa poitrine opulente.

— Ben, je ne sais pas non plus…

Elle fixa Lubisch sans gêne apparente, puis se décida.

— Heuer habite chez son fils, à Nütterden.

Elle se tourna, ouvrit une petite armoire et en sortit un annuaire téléphonique dont elle se mit à feuilleter rapidement les pages fines en s'humectant régulièrement le doigt.

— Le voilà. Norbert Heuer. C'est son fils.

Elle copia l'adresse et le numéro de téléphone sur un petit bloc-notes et en arracha la page qu'elle tendit à Robert.

Il avala son café d'un trait, la remercia et lui laissa un pourboire généreux.

Quand il quitta le restaurant, le soleil était encore plus chaud. Il ôta sa veste, la posa sur le siège arrière de la voiture et remonta les manches de sa chemise. Motivé par ce premier coup de chance, il décida de pousser jusqu'à Nütterden.

La maison individuelle au jardinet soigné se trouvait dans une zone résidentielle probablement bâtie dans les années 1960.

Quand il sortit de voiture devant le numéro 23, il ressentit de nouveau cette sensation de malaise, comme s'il se mêlait de choses qui ne le regardaient pas. Il secoua la tête. Maren n'avait pas tort de dire qu'il cogitait trop.

Il sonna. Une femme, la soixantaine, ouvrit la porte en PVC blanc armée d'un heurtoir doré purement décoratif. En lui expliquant la raison de sa venue, il sentit son malaise s'accentuer d'un coup. Qu'est-ce qui lui prenait d'importuner les gens avec une photo vieille de plus de cinquante ans ?

Il se prit à espérer qu'elle refuserait de le recevoir. Il pourrait alors rejoindre directement Nimègue. Mais elle dit :

— Cela remonte à loin, mais on ne sait jamais, peut-être aurez-vous de la chance. Entrez et posez-lui vous-même la question.

Dans le séjour, un homme frêle lisait le journal à l'aide d'une loupe. Les meubles capitonnés de brun étaient trop imposants pour la petite pièce, et dans son grand fauteuil, le vieillard avait l'air d'un enfant.

27

Il se leva péniblement et ils se serrèrent la main. Robert, qui le dépassait de plusieurs têtes, se dépêcha de s'asseoir.

La belle-fille leur proposa un café et quitta la pièce.

L'homme attendit en le regardant avec de grands yeux larmoyants. Robert pensa au métier que Heuer avait exercé, à son œil qui, derrière l'objectif, avait guetté le moment propice, la fraction de seconde qui méritait d'être capturée.

Il se pencha, fit glisser la photo sur la table et demanda à voix basse, ignorant pourquoi il chuchotait :

— C'est vous qui l'avez prise ? Elle a été faite dans votre atelier.

Heuer se servit de sa loupe pour examiner attentivement le portrait et le dos du cliché. Ses yeux larmoyants furent brièvement agrandis par la lentille et Robert Lubisch se surprit à penser à un lac noyé pour toujours dans le brouillard.

Puis le vieillard reposa photo et loupe sur la table.

— Oui, c'est moi qui ai pris cette photo.

Robert s'était attendu à un peu de fierté, mais il avait prononcé cette phrase sur un ton résigné.

Mme Heuer revint avec un plateau, posa devant eux des tasses roses à fleurs et versa le café d'une cafetière ventrue assortie. Ils se taisaient. Puis elle sortit de nouveau de la pièce, et la manière dont elle ferma la porte – doucement, mais avec solennité – conféra un caractère un peu secret à leur rencontre.

Le vieil homme remuait son café. Il semblait guetter le son clair et régulier que faisait sa cuiller en cognant contre la paroi mince de la tasse.

Robert attendait.

— C'est Therese.

Heuer s'était lui aussi exprimé à voix basse, son timbre mêlé au tintement de la porcelaine, et Robert eut l'impression qu'il venait de chanter ce nom.

L'homme posa sa cuiller et leva les yeux.

— Therese Pohl, devenue plus tard Therese Peters.

Robert glissa vers le bord de son fauteuil.

— La femme de Wilhelm Peters ?

— Oui, la femme de Wilhelm Peters.

Robert sentit la déception l'envahir. Heuer prit une gorgée de café.

— Wilhelm a disparu. Il a disparu à l'époque.

Lubisch fronça les sourcils et demanda, sceptique :

— On n'a jamais retrouvé Wilhelm Peters ?

Le vieil homme secoua lentement la tête.

— Non, jamais.

— Savez-vous si Mme Peters vit encore, et où je pourrais la trouver ? Ou peut-être les Peters avaient-ils des enfants ?

Il ignorait pourquoi il posait cette question. Ses recherches venaient d'aboutir, son père n'avait pas eu de maîtresse. Mais maintenant que cette femme avait un nom, il avait l'impression qu'elle lui était plus proche, qu'elle venait de sortir de son monde couleur sépia.

Heuer prit le cliché et sembla s'adresser au portrait.

— Alors elle est partie, elle aussi, pas très longtemps après. Elle ne s'est plus jamais manifestée. Et... non, ils n'avaient pas d'enfants.

— Où habitaient les Peters à l'époque ?

Robert avait posé cette question pour essayer d'endiguer la vague de déception qui le submergeait.

— À la fin, ils ont habité dans la maison de gardien des Höver, à l'extérieur de la ville.

Heuer fit un petit mouvement du bras puis, regardant Robert droit dans les yeux, demanda :

— Mais dites-moi, où avez-vous trouvé cette photo ?

Robert Lubisch hésita brièvement puis décida de livrer une partie de la vérité :

— Parmi les affaires de mon père.

Le vieil homme esquissa pour la première fois un sourire.

— Bien sûr, Therese. C'était une très jolie fille. Elle n'est sûrement pas restée seule bien longtemps. Qui sait, peut-être a-t-elle même trouvé le bonheur...

Au moment de prendre congé, Robert sentit encore une question lui brûler les lèvres.

— Monsieur Heuer, vous souvenez-vous de ce jour-là ? Therese était-elle venue seule ou accompagnée ?

Les yeux humides fixèrent un point droit devant eux, puis le vieillard secoua la tête.

— Non. Je pense qu'elle était seule, mais je ne peux plus l'affirmer avec certitude.

Arrivé à la barrière du jardin, Robert demanda à la belle-fille le chemin de la maison de gardien des Höver. Elle le lui indiqua puis ajouta, pensive :

— Elle est de nouveau occupée depuis peu, elle est restée inhabitée pendant près de quarante ans. Pour une histoire aussi ancienne, il vaudrait mieux vous adresser directement aux Höver. Paul et Hanna Höver ont grandi ici. Ils en sauront certainement plus.

Robert Lubisch la remercia.

La ferme des Höver, une bâtisse coquette, se trouvait à l'extérieur de Kranenburg. Pour s'y rendre, il fallait quitter la route nationale et prendre une étroite route goudronnée bordée d'une haute haie. Derrière la ferme se dressaient des écuries chaulées. Dans la grange ouverte étaient garés un vieux tracteur et deux remorques.

Quatre larges marches menaient à la lourde porte en chêne de la maison. Les deux côtés du perron étaient ornés de pots en terre cuite où poussaient de beaux géraniums. Avant même qu'il n'appuie sur la sonnette, un chien se mit à aboyer à l'intérieur.

Il sonna deux fois, et à chaque coup la fureur du chien redoubla. À présent, il jappait derrière la porte. Robert recula d'un pas.

À part les aboiements du chien, tout était silencieux. Robert jeta un coup d'œil à la ronde. Dans la grange, près du tracteur, il aperçut des taches d'huile sur le sol en béton. Une voiture devait habituellement être garée là.

Il regarda sa montre. Il ne lui restait plus beaucoup de temps. Dans le pré, à côté de la maison, des chevaux paissaient. Tout près se trouvait un manège de voltige et, à l'ouest, après les champs, une petite maison isolée se dressait devant un bois.

Ce devait être la maison de gardien. Il décida de tenter sa chance.

4

20 avril 1998

Sur sa terrasse, Rita Albers avait replanté dans des pots plus grands le laurier et les deux petits orangers qui avaient hiverné dans la maison.

Elle avait quitté Cologne neuf ans auparavant, immédiatement après son divorce, pour prendre une concession à vie sur cette maison que ses amis qualifiaient de « bout du monde ». Ils lui avaient prédit qu'elle souffrirait de la solitude et reviendrait rapidement sur sa décision. Mais au lieu de cela, elle avait démissionné du poste stable qu'elle occupait dans un magazine féminin pour travailler en free-lance. Quand elle rentrait de ses voyages d'investigation, elle aimait revenir là pour y rédiger tranquillement ses articles. Elle n'avait jamais regretté sa décision.

Elle récurait ses meubles de jardin en teck quand la sonnette retentit.

Pensant qu'il s'agissait du facteur, elle cria :

— Je suis sur la terrasse.

Mais quand elle leva les yeux, un inconnu remontait l'allée en dalles du jardin. Elle posa le seau d'eau savonneuse sur la table du jardin et appuya ses mains gantées sur la balustrade de la terrasse.

— Oui…, dit-elle, d'un ton légèrement agacé.

Dans l'entrée, elle avait fixé une pancarte « propriété privée » qu'il était impossible de ne pas voir. Mais des marcheurs ou des cyclistes s'égaraient régulièrement près de sa maison, prenaient son jardin sauvage et son verger pour des attractions touristiques et s'y promenaient sans aucune gêne. Le jour où elle avait découvert un groupe en train de pique-niquer dans son verger, elle avait perdu patience et fabriqué cette pancarte.

Mais l'homme qui s'approchait était différent. Il ne portait ni chaussures de marche ni les vêtements moulants, bariolés et couverts de logos publicitaires arborés habituellement par les cyclistes.

— Veuillez excuser le dérangement. Je m'appelle Robert Lubisch.

Debout près de la terrasse, l'air emprunté, il s'éclaircit la voix et ajouta :

— Je suis bien à la maison de gardien des Höver ?

— Oui, répondit-elle d'un ton adouci.

Elle ôta ses gants en caoutchouc et passa la main dans ses cheveux courts et foncés.

— Il n'y a personne chez les Höver et je me demandais si vous pourriez m'aider.

Il se racla la gorge une nouvelle fois, puis lui montra le portrait.

— Il s'agit de cette femme. Elle a habité dans votre maison, autrefois.

Il venait d'éveiller la curiosité professionnelle de Rita Albers, qui dit spontanément :

— Suivez-moi. Il est temps que je fasse une pause, de toute façon.

Elle enleva ses chaussures de jardin, lui serra la main et se présenta. Puis elle le précéda dans une cuisine vaste et lumineuse.

Sa silhouette mince se mouvait avec grâce autour de la lourde table en bois qui trônait au milieu de la pièce avec ses huit chaises beiges. Elle l'invita à prendre place et posa des verres, une carafe de jus d'orange et de l'eau sur la table. Quand elle s'assit enfin, elle le regarda d'un air interrogateur.

Il posa la photo sur la table et déclara :

— C'est Therese Peters. Elle a probablement vécu ici avec son mari jusqu'à la fin de la guerre.

Rita Albers examina le cliché en fronçant les sourcils avant de fixer l'homme en face d'elle.

— C'est possible, mais cela fait à peine neuf ans que je vis ici. Que cherchez-vous au juste ? C'est une parente ?

Robert Lubisch secoua la tête.

— Non ce n'est pas une parente, et j'ignore si elle est encore en vie.

Qu'est-ce que je fais ici ? se demandait-il. Therese Pohl n'était pas la maîtresse de mon père. Je n'ai plus rien à voir avec cette histoire.

Il secoua la tête et se leva.

— Je suis désolé de vous avoir dérangée.

Rita Albers l'observa et se leva aussi.

— Attendez ! Vous avez éveillé ma curiosité, vous ne pouvez pas vous sauver comme ça !

À présent, elle arborait un large sourire :

— Je suis journaliste, vous savez. Je peux peut-être vous aider.

Robert se tenait à la porte de la cuisine, indécis. Une journaliste saurait sûrement trouver des informations rapidement. De plus, elle vivait ici et connaissait certainement beaucoup de monde. Et si cela ne donnait rien, ce serait sans importance. Cette affaire ne le concernait plus, mais maintenant que la femme de la photo avait un nom, il avait envie de savoir ce qu'elle était devenue.

Robert se rassit et lui fit part de ses découvertes. Elle l'interrogea habilement, et bientôt il lui parla de Heuer, des documents de Wilhelm Peters et du rôle que ceux-ci avaient joué lors de la désertion de son père.

Rita Albers lui proposa de mener une petite enquête. Elle flairait là un article qui se vendrait peut-être.

— Vous avez ces documents sur vous ?

— Dans la voiture.

Ils se turent un moment ; seul le gazouillis des mésanges troublait le silence. Puis Rita frappa doucement le plateau de la table de la paume de la main et dit :

— Vous savez, cette histoire m'intéresse aussi, à présent. Ils ont habité dans ma maison, après tout. Il doit bien y avoir moyen de retrouver cette femme.

Elle se tut.

Mais comme il semblait toujours hésiter, elle ajouta :

— D'après les Höver, cette maison est restée inhabitée depuis 1951 ou 1952. Ils ne se souvenaient plus de la date exacte. Quand je l'ai louée, c'était une ruine. Le toit fuyait, les fenêtres étaient cassées, les meubles brisés, et il y avait des immondices partout. Ce petit trésor est la seule chose que j'ai pu sauver.

Elle avait encore frappé la table de la paume de sa main.

Robert Lubisch regarda la table, lourde et rustique. Les Peters s'y étaient peut-être attablés comme lui aujourd'hui avec cette femme. La photo datait du début des années 1940, au plus tard, et Therese, qui devait maintenant approcher des quatre-vingts ans, serait sans doute heureuse de la revoir.

Il se leva et alla chercher les documents dans sa voiture.

Ils traversèrent ensuite une large ouverture voûtée et se retrouvèrent dans une pièce spacieuse dont les portes coulissantes donnaient sur la terrasse. Deux plaques de verre disposées à angle droit sur des tréteaux en métal y formaient un bureau moderne. Les murs étaient entièrement tapissés de livres et le plancher de bois clair, laissé brut, avait une tonalité dorée dans la lumière du soleil.

Rita Albers scanna la photo, la carte d'identité et le laissez-passer, ce qui prit quelques minutes. Elle imprima la photo et rendit les originaux à Robert. Une image en noir et blanc un peu floue sortit lentement de l'imprimante.

Robert regarda sa montre. Cela faisait plus d'une heure qu'il était là. Ils échangèrent leurs cartes de visite à la hâte puis Robert remonta en voiture et partit en direction de Nimègue.

Rita abandonna le seau et les meubles de jardin, alluma son ordinateur portable et consulta l'annuaire téléphonique en ligne. Il y avait vingt et une entrées pour Therese Peters.

La soirée était déjà bien avancée quand Rita passa son ultime coup de fil. À l'exception de deux personnes, elle avait réussi à toutes les joindre, mais aucune n'avait vécu dans la maison des Höver ou à Kranenburg. Elle ne nourrissait pas beaucoup plus d'espoir quant aux deux contacts restants. Cette femme n'avait même pas trente ans quand elle était partie, elle s'était sans doute remariée.

En allant se coucher, Rita Albers prit la décision de se rendre dès le lendemain chez Hanna et Paul Höver, les frère et sœur propriétaires des lieux. Ils étaient très jeunes pendant la guerre, mais ils devaient avoir connu les Peters.

Les Höver n'étaient pas des gens bavards, et Rita les fréquentait peu, mais elle avait une bonne raison d'aller les voir : le prix de l'eau ne cessant d'augmenter, elle projetait de faire creuser un puits. Voilà qui intéresserait Paul. Il aimait le jardin de Rita et semblait toujours ravi qu'elle vienne lui demander conseil.

5

21 avril 1998

Rita parcourut l'étroit chemin de terre qui reliait sa maison à la ferme des Höver. Il était encore tôt et l'air était frais. Une fine rosée recouvrait champs et prés, le soleil y étancherait sa soif au cours des prochaines heures.

Elle vit Paul et Hanna au loin, dans le parc à chevaux. Paul s'affairait près de la clôture tandis que Hanna conduisait un cheval blanc au manège. Les Höver tenaient une pension pour chevaux. Les clients venaient de loin pour leur confier leurs précieux animaux. Les vétérinaires des environs recommandaient la ferme Höver à ceux dont les chevaux devaient se remettre doucement après une blessure.

La femme de Paul, Sophia, était morte d'un cancer. Paul s'était entièrement consacré à son épouse malade et avait laissé la ferme, dont ils ne vivaient que chichement, à l'abandon L'exploitation en avait souffert, et Rita était certaine que Paul n'aurait jamais loué la petite maison s'il n'avait pas eu de grosses difficultés financières. À la mort de Sophia, sa sœur Hanna, qui avait été infirmière à Kleve, était venue habiter chez lui. Ensemble, ils avaient rénové et transformé les écuries, construit le manège et réhabilité la grange et la maison. La rumeur courait que l'assurance-vie de Sophia avait financé les travaux.

Hanna ne s'était jamais mariée. Personne n'aurait pu douter du lien de parenté qui unissait les deux Höver. Ils étaient grands et forts, et Hanna, qui se promenait comme son frère en salopette et chemise à carreaux, était ronde sans paraître grosse.

Rita s'arrêta à la clôture et leur fit un signe de la main. Tous deux répondirent à son salut par un bref mouvement de la tête et se remirent au travail.

Ils agissaient toujours ainsi. Jamais ils n'auraient songé à interrompre leur tâche pour venir la saluer. Ils réservaient le même traitement aux clients, les propriétaires des chevaux, qui arrivaient en véhicule tout-terrain. Chez les Höver, il fallait attendre qu'on ait le temps de vous recevoir.

Au début, Rita y avait vu de l'arrogance, mais elle avait vite compris qu'il n'en était rien. Les Höver obéissaient à un système de valeurs bien à eux. Ils n'interrompaient jamais un travail pour bavarder, ils ne bavardaient d'ailleurs jamais. Ils étaient tous deux courtois, mais peu loquaces. Même s'ils disposaient à présent de revenus sans doute confortables, ils étaient restés très économes, et ce sens de l'économie s'était étendu à leur manière de s'exprimer.

Hanna mit dix bonnes minutes à conduire le cheval blanc jusqu'à l'enclos, puis elle vint rejoindre Rita, la salua brièvement et se tut, comme à son habitude. Hanna partait du principe que ceux qui venaient la trouver avaient une requête à formuler ; elle s'attendait donc à ce qu'ils s'exécutent et repartent au plus vite.

Rita palpa la poche de sa veste en jean à la recherche de la photo.

— Hanna, j'aurais quelques questions au sujet des gens qui occupaient la maison à la fin de la guerre. Ils s'appelaient bien Peters ?

Hanna hocha la tête.

Rita tira la copie de la photo de sa poche et la lui tendit.

— C'est Therese Peters. J'ai appris que son mari était mort à la guerre et n'avait jamais été retrouvé. Elle a quitté la ville peu de temps après.

Hanna la fixait d'un air impassible, silencieuse. Elle ne jeta qu'un rapide coup d'œil au document. Rita déglutit.

— C'est Heuer qui a pris cette photo. Vous vous souvenez de son atelier ? C'est lui qui affirme que Therese est partie à l'époque.

Rita, qui venait de s'éclaircir la voix, se mit à bégayer, vexée de s'être une fois de plus laissée désarmer par la froideur de Hanna Höver. Elle était incapable de déterminer si le regard de cette femme cachait de la stupidité ou une grande sagesse.

Elle décida de ne pas parler de Robert Lubisch et du rôle joué par le père de celui-ci.

Hanna demanda enfin :

— Et alors ?

Paul, qui venait de les rejoindre, lança lui aussi un bref « bonjour ». Sans mot dire, Hanna lui tendit la photo que Rita venait de lui donner. La journaliste vit le visage de Paul se contracter furtivement. D'étonnement ou de frayeur ?

— Je pensais que vous sauriez ce qu'elle est devenue. Vous avez dû la connaître, non ?

Dans le silence qui suivit, on entendit les cris de corbeaux freux, le moteur d'une voiture qui s'approchait puis s'éloignait et, dans le parc, un cheval qui renâclait. Paul entreprit de plier la feuille en carrés de plus en plus petits en écrasant fermement les plis entre pouce et index, comme pour la couper.

Hanna dit enfin :

— Elle est partie. Et personne ne sait où.

Rita, soulagée de constater que Hanna avait enfin décidé de s'exprimer, s'empressa de poursuivre son interrogatoire :

— Savez-vous quand elle a quitté Kranenburg ?

— Non.

Il n'y avait aucune animosité dans cette réponse, mais elle se réduisait à un son bref et dur, comme un coup de feu.

— Pohl était son nom de jeune fille. Avait-elle des frères et sœurs auxquels je pourrais m'adresser ?

— Non !

La réponse avait une fois de plus fusé, sur un ton définitif.

— Vous savez, c'est de l'histoire ancienne. Un jour, Therese a tout simplement disparu, intervint Paul.

Il passa la main dans ses cheveux poivre et sel broussailleux et ajouta :

— Où avez-vous trouvé cette photo ?

Rita ignora la question.

— Les Pohl étaient originaires de Kranenburg ?

Hanna enfonça les mains dans les poches de sa veste de velours côtelé et déclara brièvement :

— J'ai à faire.

Elle partit en direction des écuries.

Rita, se doutant que Paul ne tarderait pas à la suivre, s'empressa de demander :

— Wilhelm Peters était-il aussi originaire de Kranenburg ?

Paul répondit affirmativement d'un signe de tête.

Rita prit une profonde inspiration et s'arma de patience.

— Avait-il des frères et sœurs ?

— Une sœur.

— Elle vit toujours ici ?

— Non, elle est restée à la guerre.

Cette tournure de phrase réduisit Rita au silence. Rester à la guerre. Drôle d'expression. Est-ce que cela signifiait que pour les morts, la guerre continuait ?

— Peut-être pourriez-vous...

Cette fois, Paul Höver l'interrompit :

— Je vous ai demandé où vous aviez trouvé cette photo.

La fermeté avec laquelle cet homme, habituellement si doux, avait prononcé ces paroles, fit sursauter Rita, mais elle se ressaisit aussitôt et dit rapidement :

— La vieille table. Je vous ai dit que je l'avais fait restaurer. La photo se trouvait dans le tiroir.

Höver hocha la tête et dit sur un ton plus conciliant, tout en prenant la direction du parc à chevaux :

— Laissez les morts en paix.

Rita Albers reprit le chemin de sa maison. Elle était presque chez elle quand elle se rendit compte que Paul Höver ne lui avait pas rendu la copie de la photo.

6

21 avril 1998, le soir

Après avoir raccroché, Therese Mende resta encore un long moment sur la grande terrasse de sa maison. Sans rien regarder, ses yeux allaient de la baie à la mer Méditerranée. L'eau était calme. En contrebas, des vagues se brisaient sur les rochers pendant que d'autres envahissaient la baie et venaient mouiller l'étroite plage sur laquelle les vacanciers se faisaient plus nombreux depuis quelques jours. La saison touristique approchait à grands pas, le calme ne reviendrait qu'en octobre. Des cris lui parvenaient, des bribes de mots qui s'évanouissaient avant même de prendre un sens.

Le calendrier indiquait la fin avril, mais l'année semblait pressée. Une lumière estivale dansait déjà sur les flots, et bientôt, les ombres des rochers tourneraient comme les aiguilles d'une montre dans la baie avant de fondre sous le soleil de midi.

Pourquoi tant de hâte ? Au fil des ans, les journées donnaient l'impression de s'allonger pendant que les années raccourcissaient. Il lui semblait qu'hier encore, les fleurs d'hiver couvraient les branches des amandiers d'une neige rose lumineuse.

Elle secoua la tête et se détourna. Un toit de tuiles rouges, soutenu par quatre colonnes de pierre, courait sur toute la largeur de la maison et protégeait du soleil la moitié de la terrasse. Elle se dirigea vers la desserte, prit la bouteille de xérès et un verre, puis s'installa dans un des larges fauteuils en rotin.

C'était cela, la vieillesse. L'âge faisait basculer le temps. On cherchait craintivement à retenir le moment présent tout en espérant qu'il ne serait pas le dernier. Une certaine démesure, une rage de vivre qui n'était plus un désir de vivre davantage, mais se réduisait à la peur de la mort.

Elle se versa une rasade généreuse et se passa la main dans ses cheveux gris coupés au carré.

« C'est la locataire, avait dit Hanna au téléphone, elle a trouvé une photo et fouine un peu partout. »

Quels mots simples pour annoncer qu'un passé vieux de plus de cinquante ans vous rattrapait.

Le xérès avait une robe sombre, un goût moelleux et ne brûlait que légèrement le bout de la langue.

Sur le coup, elle n'avait pas compris de quoi Hanna parlait.

Au fil des ans, inconsciemment, Therese Peters s'était peu à peu effacée. Chaque fois qu'elle avait rempli un formulaire en écrivant Therese Mende, née Pohl, elle avait eu l'impression de recouvrir de ces mots la vie de Therese Peters. La couche de plus en plus épaisse formée par ces lettres avait fini par ensevelir les souvenirs, si bien qu'à Rome et à Londres, où elle avait vécu durant les premières années de son mariage avec Tillmann Mende, elle s'était souvent demandé si les sept années de Therese Peters avaient vraiment existé.

Et voilà qu'elles étaient de retour, ces années usées jusqu'à la corde et construites sur du sable, et elle n'en éprouvait même pas de surprise.

La femme disait avoir trouvé la photo dans le tiroir de la

table de la maison, ce qui était impossible. Pourquoi le prétendait-elle ? D'où tenait-elle ce cliché ?

« Une journaliste », avait dit Hanna. Une journaliste continuerait à fouiller, trouverait d'innombrables preuves qu'elle interpréterait à sa guise et présenterait avec arrogance comme étant la vérité. Et rien de ce qu'elle dirait ne serait vrai.

Therese avala le restant du xérès d'un trait et s'en versa un autre.

Elle avait passé toutes ces années à travailler dur. Avec son mari, elle avait fondé la marque « Mende Fashion ». Les choses n'avaient pas toujours été faciles. Tillmann était un esprit créatif, mais son insouciance avait plusieurs fois failli les conduire à la ruine. Ce n'est que lorsqu'il lui avait confié la direction de l'affaire que celle-ci était devenue florissante. Aujourd'hui, « Mende Fashion » était une marque renommée dans toute l'Europe.

La mort de Tillmann, survenue brutalement trois ans auparavant, avait profondément ébranlé Therese. Sans lui, sans son insouciance, plus rien n'avait de sens, elle avait mis des mois à le comprendre. Elle avait laissé à sa fille la direction de la société et était venue s'installer dans cette maison.

Son mari avait été le seul à connaître sa vie sous le nom de Therese Peters. Isabel, sa fille, ignorait tout de son passé.

Elle resta longtemps immobile, laissant son esprit vagabonder. Le soleil pénétrait à présent dans les terres. À l'horizon, la ligne entre ciel et mer se brouillait. Bientôt, elle disparaîtrait entièrement, et seules les fines touches d'écume des vagues déferlantes permettraient de distinguer le ciel de la terre.

Luisa, la gouvernante, se tenait dans le couloir qui menait au séjour et toussota doucement pour attirer son attention. Therese sursauta.

— Excusez-moi, mais le dîner est prêt.

44

Puis elle disparut aussi silencieusement qu'elle était venue.

Therese n'avait pas faim, mais elle se dirigea vers la salle à manger. Elle portait une ample tenue d'intérieur en soie sauvage de couleur turquoise qui bruissait à chacun de ses pas. Elle toucha à peine à son assiette. Quand Luisa vint débarrasser la table, elle lui jeta un regard inquiet.

— Cela ne vous a pas plu ? Désirez-vous autre chose ?

Therese sourit et lui tapota la main.

— C'était excellent, Luisa, mais je n'ai pas faim, aujourd'hui.

Le visage de la gouvernante se détendit. Elle posa adroitement plats et assiettes sur un plateau et retourna dans la cuisine. Peu après, elle réapparut et dit, comme à son habitude :

— Je vais partir, madame Mende. Puis-je encore vous être utile ?

Et Therese répondit, comme tous les soirs :

— Non, merci, Luisa. Passez une bonne soirée !

Puis elle se retrouva seule. Elle se couvrit les épaules d'un châle en laine, prit un verre de vin rouge et retourna sur la terrasse. La plage était vide, seul le bruissement régulier des vagues lui parvenait encore.

Des bribes de souvenirs, les décombres d'un temps révolu se mirent à tourbillonner dans sa tête.

Sa mère agenouillée dans un banc de l'église, enveloppée de l'odeur âcre et moisie de vieil encens.

Leonard, debout au milieu d'un pré fauché, qui demande à ses amis de se jurer fidélité pour toujours. Leonard, plus tard, les yeux écarquillés par la peur, léger comme un fantôme.

Jurij, qui voulait croire en un dieu, et qui se presse contre la paroi en planches de la grange pour ne pas chanceler.

Son père avec des lunettes dont un verre est cassé. Qui lui caresse en silence la joue du dos de la main et essaie de sourire.

Et Wilhelm. Wilhelm, qui tourne nerveusement en rond dans la chambre qu'elle occupait alors et finit par lui dire : « Épouse-moi ! »

Ces visions perdirent vite leur étrangeté. Les années qui l'en séparaient s'amenuisaient de minute en minute.

7

21 avril 1998

Vers dix heures, Rita Albers se rendit à bicyclette à Kranenburg. La vigne vierge recouvrait presque entièrement la façade en briques rouges de l'hôtel de ville. Les jeunes feuilles d'un beau vert printanier luisaient comme si on les avait lustrées. La jeune femme du bureau de l'état civil la salua aimablement. Sur sa table de travail, un panneau annonçait : « Mme Jäckel, à votre service ». Mais Mme Jäckel fronça les sourcils d'un air déconcerté quand Rita lui annonça qu'elle était journaliste et faisait des recherches sur une personne disparue depuis longtemps.

— Je ne sais pas si je vais pouvoir vous aider. C'est trop ancien. Nous n'avons numérisé que les données à partir de 1950...

Elle jeta un regard impuissant à Rita et demanda :

— Vous pourriez me rappeler les noms ?

Rita la gratifia de son plus beau sourire.

— Therese Peters, née Pohl, et Wilhelm Peters. Selon mes informations, Wilhelm est tombé à la fin de la guerre et Therese a quitté la ville peu après.

La jeune femme secoua la tête mais entra machinalement les noms dans son ordinateur. Rita leva les yeux au ciel.

— La guerre s'est terminée en 1945. Vous avez certainement des archives. Serait-il possible de les consulter ?

Mme Jäckel, absorbée par son écran, demanda sans lever les yeux :

— Vous connaissez leurs dates de naissance ?

— Celle de Wilhelm Peters, oui. Il est né le 22 juin 1920, répondit Rita après avoir sorti la copie du document SS.

Le regard de la jeune femme ne cessait d'aller et venir du document à l'écran. Finalement, elle dit sur un ton pensif :

— Je ne comprends pas. Votre Wilhelm Peters apparaît bien dans notre base de données, mais il n'est pas mort à la guerre. Il a été radié du registre municipal en 1951 avec la mention « disparu ».

Rita resta un moment sans bouger puis demanda :

— Connaît-on la date exacte de sa disparition ?

La femme tourna l'écran vers Rita.

— Regardez. Wilhelm Peters, né le 22 juin 1920. Sa radiation du registre municipal est datée du 18 mars 1951 et porte la mention : *Disparu depuis le 15 août 1950.*

Elle fit défiler la page vers le bas.

— Et voici, Therese Peters, née Pohl, mariée le 25 août 1944. Radiée du registre, elle aussi, le 18 mars 1951. Nous avons ici la mention : *Partie sans laisser d'adresse.*

Les pensées de Rita se bousculaient. Qu'est-ce que cela signifiait ? La journaliste en elle flairait quelque chose. L'histoire de Robert Lubisch ne collait pas. Avait-il menti ? Mais pourquoi ? Non, cela semblait peu probable.

— Qu'est-ce que cela veut dire ? Pourquoi ont-ils tous les deux été radiés le 18 mars 1951 ?

Yvonne Jäckel se cala dans son siège, visiblement satisfaite d'elle-même et de sa base de données.

— C'est la procédure. On se donne quelques mois pour

découvrir le nouveau lieu de résidence de cette personne ou attendre la déclaration de départ qui lui permettrait de s'enregistrer ailleurs. Je n'ai jamais eu affaire à des disparitions, mais je pense que la procédure est identique à celle que je connais.

— Avez-vous des renseignements sur les parents ou les frères et sœurs ?

La jeune femme se remit à tapoter sur son clavier. Quand une nouvelle personne entra dans le bureau, elle s'empressa de remettre l'écran en place, adressa un petit sourire d'excuse à Rita et lui dit sur un ton presque conspirateur :

— Je ferai d'autres recherches plus tard, mais n'en espérez pas trop. La base de données ne mentionne aucun parent direct. Ils sont sans doute morts ou partis avant 1950… Vous devriez contacter les archives municipales ou le registre paroissial, mais n'oubliez pas que Kranenburg a été presque entièrement détruite pendant la guerre…

Elle haussa les épaules d'un air désolé. Rita désigna l'imprimante posée sur l'une des armoires du bureau d'Yvonne Jäckel.

— Pourriez-vous m'imprimer les éléments concernant Wilhelm et Therese Peters ?

Quand elle se retrouva sur la place centrale, elle était en possession de deux documents supplémentaires sur les Peters. En poussant sa bicyclette le long de la rue principale, elle eut une envie soudaine de s'arrêter chez le glacier qui venait d'installer, pour la première fois de l'année, quatre petites tables en terrasse. Il faisait déjà chaud, mais l'air gardait une douceur printanière. Elle commanda un cappuccino et récapitula les informations obtenues.

Wilhelm Peters n'était pas mort à la guerre. Pourquoi Lubisch avait-il menti à son fils, et surtout, d'où tenait-il ces papiers ? Et si Wilhelm Peters avait disparu seulement cinq ans après la fin de la guerre, alors…

Elle avala son cappuccino à la hâte, régla et se rendit au poste de police de la Waldstrasse.

Derrière le comptoir, deux policiers s'affairaient. Un homme corpulent, la quarantaine bien avancée, aux cheveux très clairsemés, se leva pour l'accueillir.

Rita se présenta, posa les documents du service d'état civil sur le comptoir et exposa sa requête.

— Je suis journaliste et j'enquête sur une disparition datant de 1950. Il s'agit de Wilhelm Peters. Il vivait avec son épouse dans la maison de gardien des Höver. Sa disparition a été déclarée à Kranenburg, et sa femme s'est évanouie dans la nature quelques mois après lui.

En silence, l'homme examina longuement les pages imprimées et dit d'une voix sonore :

— 1950.

Puis il ajouta laconiquement, tout en la regardant :

— C'est l'année de ma naissance.

Il ne faisait pas mine de vouloir bouger.

Rita prit une profonde inspiration.

— Je ne m'imaginais pas non plus que vous ayez été en charge de cette affaire à l'époque. Je voudrais juste savoir où je pourrais consulter ce dossier.

Le policier plus jeune, à son bureau, semblait suivre l'échange avec amusement. Le gros homme reprit d'un ton traînant :

— Il est dans nos archives, mais il faudra du temps pour le trouver.

— J'ai tout mon temps, ne vous inquiétez pas, dit Rita en souriant.

Le jeune policier baissa la tête pour dissimuler son sourire. Son collègue la fixa de ses yeux sombres comme si elle était un animal étrange, et finit par dire :

— Ça, ça m'étonnerait. À moins que vous ayez apporté de quoi manger.

Le jeune policier pouffa de rire et se précipita hors de la pièce ; cela ne désarçonna nullement son aîné, qui continuait de regarder Rita sans ciller.

— Vos archives ne sont sûrement pas très volumineuses, et si les documents sont classés par ordre chronologique... Je suis prête à vous aider, vous savez.

— Ah ! bon, vous voulez nous aider...

Il continuait à parler de ce ton traînant qui commençait sérieusement à agacer Rita. Se payait-il sa tête ou parlait-il toujours ainsi ? S'il travaillait aussi vite qu'il parlait, elle aurait peut-être vraiment bien fait d'apporter des provisions.

Il regarda vers la gauche et montra du doigt l'horloge qui se trouvait au-dessus du comptoir.

— Bientôt midi.

Rita s'apprêtait à hausser le ton quand le jeune policier refit son apparition et dit à son collègue :

— On les a.

Le gros homme hocha la tête d'un air satisfait.

— Vous voyez, tout est simple pour qui a de l'ordre. Nous avons fait des recherches, les archives sont à Kleve, et les documents sont à votre disposition.

Il avait traîné sur le mot « recherches », en détachant chaque syllabe.

Une demi-heure plus tard, elle troquait sa bicyclette contre sa petite voiture et partait pour Kleve, où elle était attendue. Après avoir décliné son identité, elle put accéder à une petite pièce et consulter le dossier concernant la disparition de Wilhelm Peters.

Elle lut les documents en prenant des notes.

Therese avait déclaré la disparition de Wilhelm Peters le mardi 15 août 1950. Elle avait affirmé que le samedi 12 août, ils s'étaient rendus ensemble à la fête du village, mais qu'elle avait quitté le chapiteau seule, tôt dans la soirée. Wilhelm étant un grand fêtard, elle ne s'était pas inquiétée de ne pas le voir rentrer le dimanche, persuadée qu'il continuait à faire la bringue. Elle n'était retournée au chapiteau dressé sur la place que le lundi matin, pensant l'y trouver en train de prendre l'apéritif. Il n'y était pas, mais elle avait malgré tout décidé de l'attendre un jour de plus. Wilhelm, qui travaillait au service d'urbanisme de la ville, avait pris un congé le lundi, mais il ne manquait jamais une journée de travail, et Therese était sûre qu'il serait de retour le mardi. Au matin du 15 août 1950, elle était allée à l'hôtel de ville et avait demandé à le voir. Alors seulement, lorsqu'elle apprit qu'il ne s'était pas présenté à son poste, elle déclara sa disparition.

Les jours suivants, la police découvrit que personne n'avait aperçu Wilhelm depuis cette fameuse nuit du samedi, mais que des témoins l'avaient vu se disputer violemment avec Therese devant le chapiteau. D'autres encore affirmèrent que Wilhelm avait quitté la fête à minuit, passablement éméché. Bientôt, la rumeur se répandit qu'on ne le reverrait plus vivant, et Therese fut soupçonnée de l'avoir tué.

Rita Albers leva la tête et sourit quand un policier vint lui apporter un café.

— Merci. Dites-moi, votre collègue de Kranenburg… Il est toujours aussi…

L'homme eut un petit sourire narquois et hocha la tête.

— Karl van den Boom ? Il est réglo. Il ne s'énerve jamais et arrive à désamorcer les situations les plus explosives. Il pense qu'il y aurait moins de problèmes si les gens étaient moins pressés. C'est toujours lui qu'on envoie régler les conflits familiaux. Pour nous, « Karl » est devenu synonyme de « ramener le calme. » Et puis, il a un humour bien à lui.

— J'avais remarqué, grogna Rita.

Elle tourna les minces feuilles de papier bruissantes du dossier, à la recherche des comptes rendus d'audition. Certaines lettres semblaient avoir été avalées par les pages translucides, leur encre avait tellement pâli qu'elles en devenaient presque illisibles. Après les « n » et les « r » minuscules, le papier carbone avait laissé de petites taches qui émaillaient l'ensemble des pages comme des planètes dispersées.

Elle désigna la signature.

— C'est le brigadier-chef Theo Gerhard qui a signé tous ces documents. Vous savez où je pourrais le trouver ?

L'homme haussa les épaules.

— Il ne travaille plus chez nous, mais il est peut-être encore en vie. Vous devriez poser la question à Karl.

Rita émit un petit soupir.

Une heure plus tard, elle terminait sa lecture du dossier. Therese Peters était restée la principale suspecte. On l'avait interrogée à plusieurs reprises, mais elle n'était jamais revenue sur sa version des faits, et on n'avait trouvé ni cadavre ni preuves suffisantes.

Les derniers feuillets du dossier comportaient deux notes manuscrites.

28.12.1950

Mme Therese Peters n'a pas donné suite à son assignation à comparaître du 21/12 de cette année. Aujourd'hui, en nous rendant chez elle, nous avons constaté qu'elle avait quitté sa demeure. Ses vêtements et effets personnels avaient également disparu. Son lieu de résidence actuel est inconnu de nos services.

Brigadier-chef de police T. Gerhard

15.02.1951

Les efforts entrepris pour retrouver Therese Peters sont demeurés sans succès. Aucune preuve supplémentaire n'étant venue étayer les soupçons que nous avons à son égard dans l'affaire de la disparition de Wilhelm Peters, nous avons décidé d'arrêter les recherches.

Brigadier-chef de police T. Gerhard.

8

21 avril 1998

Therese Mende fixait la nuit sans lune, et des images du passé surgissaient de l'étendue sombre de la mer.

D'abord, elle refusa de les voir et ferma les yeux pour tenter de leur échapper. Mais sous ses paupières, les souvenirs continuaient de se bousculer dans le désordre, incontrôlables. Un élancement, fin comme de la soie mais terriblement tranchant, lui traversa le corps. Elle savait ce que cela signifiait. Le cœur battant, elle avait déjà ressenti une douleur identique après son entretien téléphonique avec Hanna. Le temps qui l'avait oubliée la rattrapait brutalement et l'étouffait d'anciennes images. Sur les eaux tranquilles de la mer, la lumière orange d'un porte-conteneurs se déplaçait lentement, signe que le temps ne s'était pas arrêté. Ce calme. Cette indifférence.

Des années durant, tous les six avaient fait le chemin ensemble à bicyclette jusqu'à l'école de Kleve. Les garçons fréquentaient le lycée Freiherr-von-Stein et les filles, l'École supérieure des filles.

Il y avait Alwine, la fille du domaine Kalder, avec ses boucles rousses et son grand rire impertinent qui emplissait la cour de l'école comme une fanfare et lui valait régulièrement des remarques dans le cahier de liaison.

Son frère aîné, Jacob, grand et pensif, plein d'une certaine fierté, et dont l'objectivité et le sens critique impressionnaient même ses professeurs.

Wilhelm, le fils de Peters, le pharmacien, un garçon trapu et énergique qui savait prendre à bras-le-corps les problèmes pratiques. Il avait été nommé chef de l'unité des cadres au sein de la Jeunesse hitlérienne et essayait tant bien que mal d'ignorer les critiques de ses amis.

Hanna, la fille de la ferme Höver, avec ses joues roses et ses yeux bleus délavés qui vous regardaient gravement. Hanna qui peinait à suivre à l'école et qui, depuis la mort de sa mère, s'occupait à quatorze ans déjà de ses frères et de la maison.

Leonard, le fils de l'avocat Kramer, un garçon pâle aux membres fins qui pédalait toujours à côté de Jacob, qui le poussait en posant une main dans son dos quand les vents étaient contraires. Leonard l'intellectuel, qui récitait par cœur de longs passages du *Werther* de Goethe.

Et enfin Therese, la fille du Dr Pohl, qui faisait preuve d'une vitalité débordante. Même en cours, alors qu'elle était concentrée sur ses livres, elle donnait l'impression d'essayer d'attraper chiffres et lettres à la main.

C'est au cours de cet été 1939 que leurs chemins se séparèrent. Les garçons avaient passé leur bac et le mot « guerre » était dans toutes les bouches. Dans certaines maisons de la commune, on le murmurait avec crainte, dans d'autres, on le prononçait à voix haute, avec assurance.

Au cours des semaines à venir, Jacob et Leonard allaient devoir accomplir leur service au Service du travail du Reich. Tous deux désiraient ensuite intégrer l'école d'officiers. Pour Jacob, ce choix relevait de la tradition familiale ; son père avait déjà été enrôlé comme colonel de réserve. Leonard désirait embrasser une carrière militaire contre l'avis de ses parents, qui s'inquiétaient pour sa santé et auraient souhaité le voir faire des études de droit. Quant à Wilhelm, il resterait à Kranenburg pour faire un apprentissage dans l'administration. Le Hauptsturmführer SS August Hollmann lui avait affirmé : « Peters, nous allons avoir besoin de toi, ici. Tu feras rapidement carrière. »

Alwine, qui avait de mauvais résultats scolaires, fréquentait à présent un internat. L'institutrice avait dit à ses parents : « Elle prend tout beaucoup trop à la légère, il faut qu'elle grandisse enfin. » Hanna quitta le lycée cette année-là sans diplôme. Ses deux frères aînés avaient été enrôlés et on avait besoin d'elle à la ferme.

C'était un vendredi d'août 1939. La fenaison battait son plein et Wilhelm, qui avait pour mission de répartir les tâches au sein de la Jeunesse hitlérienne, s'était arrangé pour qu'ils travaillent tous les six sur le domaine des Kalder. Tout en riant et en plaisantant, ils avaient fané plusieurs prés du domaine. L'ambiance devenait de plus en plus détendue au fur et à mesure que la journée avançait. Aux remarques taquines succédèrent des batailles de foin, puis des paris : ce serait à qui finirait son rang le premier. Les filles perdirent, et Alwine protesta énergiquement et bouda. Alors on constitua des équipes de deux, différentes à chaque fois. Le temps filait. Leur journée terminée, ils n'eurent aucune envie de retourner à la ferme. Sans que personne ne le dise, ils s'étaient tous compris. Ils avaient conscience que c'était la dernière fois qu'ils profitaient ainsi de la vie en toute insouciance. Ils s'assirent dans un pré, parlèrent fort et rirent beaucoup, échangeant des regards, baissant les yeux avec gêne et interprétant le moindre geste. Hanna était amoureuse de Jacob, ce qui n'était un secret pour personne. Alwine aimait beaucoup Wilhelm et Wilhelm était attiré par Therese. Leurs discussions prirent un ton badin et charmeur, et quand ils se turent, leurs sourires embarrassés flottaient sur le champ pendant que le soleil couchant rougissait le ciel et leurs joues.

Wilhelm et Leonard vantaient l'Allemagne et sa puissance future quand Therese dit :

— Mon père pense que Hitler conduira les Allemands à leur perte.

On entendait le pépiement des oiseaux dans la forêt et, au loin, dans l'une des fermes, les aboiements d'un chien. Jacob jeta un rapide coup d'œil à Therese, qui crut le voir imperceptiblement hocher la tête. Wilhelm rit.

— Voyons, Therese, ton père a été membre du parti centriste. C'est évident qu'il tienne un tel discours, mais il se trompe. Je te dis ça en toute amitié, mais il a déjà été convoqué plusieurs fois pour s'expliquer. Il devrait être plus prudent.

Mais Therese, qui se sentait en sécurité avec ses amis, insista :

— Père dit que Hitler est un va-t'en guerre.

Alwine la regarda de ses grands yeux implorants.

— Therese, tu ne vas pas nous gâcher la journée avec ces histoires ?

Leonard se leva d'un bond.

— Laissons la politique. C'est peut-être la dernière fois que nous sommes ensemble, alors jurons-nous ici et maintenant de ne jamais nous perdre de vue et de continuer à être là les uns pour les autres, comme par le passé.

Ce moment n'avait rien de solennel. Ils se mirent à rire, soulagés et détendus, et prêtèrent serment bruyamment.

La gaîté de la journée avait été fragile, et la discussion qui avait eu lieu à la tombée de la nuit avait failli tout briser. Mais ce jour-là, leur amitié put encore l'emporter sur leurs oppositions.

Therese cherchait à se remémorer le ciel de ce jour d'été. Avait-il vraiment été aussi infini qu'elle se l'imaginait à présent ? Assez vaste pour abriter la confiance naïve de six jeunes gens ? Quelques semaines plus tard, elle le savait avec certitude, ce ciel avait été tout autre. Quand elle s'était rendue à la gare, tôt le matin, pour faire ses adieux à Jacob et à Leonard, alors que le mot « guerre » s'élevait de toutes les tables et se mettait en marche, le ciel était bas et évoquait l'intérieur d'une coquille d'huître : un peu de vieux rose et de violet transparaissait encore sous les nuages couleur argent et gris acier.

9

21 avril 1998

Au cours de l'après-midi, Rita Albers appela à plusieurs reprises le portable de Robert Lubisch, et après cinq tentatives infructueuses, elle laissa un message. Pour se changer les idées, elle alla arroser les semis et les jeunes pousses de son potager. Elle retournait régulièrement à la porte de la cave pour remplir son arrosoir vert, et chaque allée et venue la confortait dans sa décision. Quand elle eut fini, elle contacta l'entreprise paysagiste Schoofs et leur demanda d'établir un devis pour un puits.

Après avoir pris un café dans la cuisine, elle étala ses notes et photocopies sur la table afin de préparer un plan d'action. Elle devait absolument passer aux archives municipales. Il lui fallait aussi retourner voir ce van den Boom et l'interroger au sujet de l'ancien brigadier-chef Gerhard. Et puis, une visite à Heuer s'imposait, et peut-être... aux Pohl ? Pour pouvoir travailler et s'installer ailleurs, Therese Peters avait forcément dû prouver son identité. Peut-être avait-elle utilisé son nom de jeune fille. Rita appela Köbler, un ami journaliste ; il était particulièrement doué pour retrouver des personnes disparues.

On disait qu'il entretenait d'excellentes relations avec les polices criminelles fédérale et régionale. Elle commença à bavarder du bon vieux temps avec Köbler, puis lui donna les informations essentielles. Il promit de l'aider, mais conclut :

— Ne te fais pas d'illusions, Rita. La plupart des documents de cette époque ne sont pas numérisés. Les archives que tu cherches peuvent malheureusement se trouver n'importe où. Tu ignores jusqu'à l'endroit où cette femme habite, et d'ailleurs, qui te dit qu'elle ne se trouve pas à l'étranger ?

Rita partageait ses craintes, mais elle insista :

— Mais tu vas au moins essayer, d'accord ?

Robert Lubisch ne la rappela que tard le soir ; elle était installée devant son PC et résumait les informations obtenues.

Elle lui fit part de ses découvertes. À l'autre bout de la ligne, Robert faisait « oui » et « hmhm » de plus en plus faiblement, puis il se tut. Quand elle eut fini, elle ne l'entendait même plus respirer.

— Vous êtes toujours là ?

— Oui.

Sa voix était étonnée, comme s'il doutait lui-même de son « oui ».

Puis il demanda à voix basse :

— Vous pensez donc que cet homme n'était pas mort quand mon père a pris ses papiers ?

Rita réfléchit. Elle n'y avait pas encore songé, mais c'était une hypothèse de plus.

— Cela se pourrait. Mais il se pourrait aussi que votre père soit mêlé à la disparition de Wilhelm Peters.

— Mais vous êtes folle, lança Robert Lubisch avec véhémence.

Son effroi était palpable malgré la distance.

Il se ressaisit et reprit plus calmement :

— Madame Albers, c'est un soupçon parfaitement absurde. Il est possible que mon père n'ait pas réalisé que l'homme vivait encore, mais...

Il prit une profonde inspiration.

— Écoutez, j'aimerais que vous cessiez vos investigations. C'était une idée stupide de ma part. À présent que nous savons que Mme Peters a refait sa vie, je vous serais reconnaissant de ne pas continuer votre enquête.

Rita Albers sourit et répondit calmement :

— Monsieur Lubisch, je m'intéresse à cette histoire, et vous ne m'avez pas mandatée pour faire ce travail. Je vais continuer à chercher Therese Peters. Je suis curieuse et je suis avant tout journaliste. Je tiens peut-être une histoire qui se vendra bien.

Il y eut un silence, puis il dit d'une voix étranglée :

— Ce n'est pas correct de votre part, madame Albers.

Il inspira péniblement à plusieurs reprises avant d'ajouter :

— J'aimerais en discuter. Je quitte Nimègue demain soir. Je pourrais passer vous voir sur le chemin du retour.

Elle ne répondit pas.

— J'ai un peu fouillé sur Internet, hier soir. Votre père, Friedhelm Lubisch, était bien l'entrepreneur en bâtiment d'Essen ?

Robert raccrocha brusquement.

Rita fixa le téléphone d'un air étonné, puis elle relut les informations obtenues jusque-là, qui se résumaient à peu de chose. Elle nota le nom de Friedhelm Lubisch suivi d'un point d'interrogation.

« Pas correct », avait dit Robert Lubisch. Que s'était-il imaginé ? Avait-il vraiment cru qu'elle irait gracieusement à la chasse aux informations pour lui ? La veille dans sa cuisine, elle lui avait clairement dit qu'elle s'intéressait à cette affaire en tant que journaliste. Elle rangea ses notes dans le classeur réservé à cet effet. Robert finirait bien par se calmer.

10

21 avril 1998

Robert Lubisch était installé dans le hall de l'hôtel avec des collègues qui commentaient en anglais les conférences de la journée. D'ordinaire, il n'avait aucun mal à suivre ces discussions, mais ce soir, il ne cessait de perdre le fil, et avait même fait répéter une question à deux reprises.

L'entretien téléphonique avec Rita Albers l'avait plus troublé qu'il ne voulait l'admettre, et il s'en voulait d'avoir été aussi idiot. Pourquoi lui avait-il donné le double de ces papiers ?

Désormais complètement incapable de suivre le débat, il s'excusa et alla au bar commander un expresso et un cognac.

Il avait été stupide. Il ne s'expliquait plus l'intérêt qu'il avait éprouvé pour Therese Peters et l'assimilait à présent à de la sentimentalité mal placée. Sans faire preuve d'aucun esprit critique, il avait pris sa rencontre avec cette journaliste pour un heureux hasard, mais plus rien ne l'arrêterait, désormais. Il se sentait l'âme d'un traître. Qu'allait-elle encore découvrir ? Il but une gorgée de cognac.

Soupçonner son père d'être mêlé à la disparition de Wilhelm Peters était absurde. Il avait été prisonnier de guerre jusqu'en 1948, puis avait travaillé comme manœuvre dans la Ruhr pour survivre. Et d'ailleurs, pourquoi ce Peters aurait-il eu sur lui, cinq ans après la fin de la guerre, une carte d'identité SS et un laissez-passer ?

Non, ce que l'on pourrait reprocher à son père, c'était de ne pas avoir remarqué que Peters vivait encore quand il lui avait pris ses papiers. Mais peut-être l'avait-il vu et les avait-il emportés malgré tout.

Cette pensée lui donna le vertige. Il s'installa sur un tabouret du bar et but son expresso. C'est tout naturellement qu'il avait eu cette idée, tout naturellement qu'il l'en avait cru capable.

Il se sentit rougir de honte. Que savait-il vraiment de son père ?

Il connaissait des faits, tout ce que l'on aurait pu trouver sur un CV. Mais rien sur la personnalité de Friedhelm Lubisch.

Quand Robert était tout petit, son père travaillait dur. Il sentait la sueur et la poussière de béton lorsqu'il tapotait ses joues de ses mains calleuses. Le dimanche, après l'église, il l'emmenait au bistrot où il lui offrait une limonade et discutait en buvant des bières avec d'autres hommes aux costumes aussi mal coupés que le sien.

À l'époque où Robert entra à l'école, son père montait son entreprise. Le matin, ils prenaient le petit déjeuner dans leur minuscule cuisine. Il buvait du café et fumait, l'interrogeait sur ses notes, l'exhortait à bien travailler et regardait sa femme d'un air soucieux quand il estimait que son fils ne mangeait pas assez. Le dimanche, ils se rendaient à l'église en famille, et quand il faisait beau, ils allaient se promener. Sa mère portait alors déjà un manteau en poils de chameau et son père un chapeau à large bord qu'il soulevait brièvement quand il croisait d'autres promeneurs.

Peu de temps avant que Robert n'aille au lycée, ils avaient quitté le petit appartement du centre d'Essen pour emménager dans la villa, à l'extérieur de la ville, et dans cette maison immense, ils s'étaient perdus ; c'est du moins l'impression qu'il en avait à présent. L'immense table de la salle à manger, où chacun avait son propre plateau de petit déjeuner parce qu'il était impossible de se passer le beurre sans se lever, lui parut soudain, à ce bar d'hôtel, un symbole.

« Maintenant, tu as un grand jardin pour toi tout seul », entendit-il sa mère s'extasier, et le mot « seul » fit écho dans sa tête. Il soupira. Tout était vraiment trop grand, pensa-t-il, désormais heureux d'avoir vendu la maison.

C'est pourtant à cette époque, alors qu'ils s'éloignaient l'un de l'autre à la vitesse de la lumière, qu'ils avaient connu ces moments de complicité au cours desquels son père s'était confié, lui racontant sa fuite et sa peur. Parfois, sa mère venait frapper à la porte du bureau pour leur rappeler, une pointe de jalousie dans la voix, que c'était l'heure d'aller au lit.

Et voilà qu'il avait livré ces rares instants d'intimité à une journaliste. Il sentit une bouffée de chaleur l'envahir, sans pouvoir dire si le cognac ou la pensée de sa trahison en était la cause.

Une main se posa sur son épaule, et son collègue et ami hollandais, Piet Noyen, le complimenta sur son exposé de l'après-midi. Ils discutèrent des progrès et des espoirs que la génétique allait apporter dans le traitement de la sclérose tubéreuse de Bourneville. Cette conversation lui changea les idées et lui redonna un peu de l'assurance perdue au cours des dernières heures.

Il était minuit passé lorsqu'il montra la clef de sa chambre au barman pour faire inscrire ses consommations sur sa note. Alors qu'il se dirigeait vers l'ascenseur, il prit la décision de se rendre à Kranenburg le lendemain pour parler à Rita

Albers. Il fallait qu'elle lui rende les copies des documents. Elle les lui avait extorquées sous un prétexte fallacieux. Elle comptait faire de l'argent avec cette histoire ? Qu'à cela ne tienne, il les lui rachèterait.

11

22 avril 1998

Therese Mende avait eu une nuit agitée. Pendant qu'elle se tournait et se retournait dans son lit, il lui semblait qu'une main invisible ne cessait de lui jeter des fragments épars de mosaïque, des bouts d'images pris au hasard, et quand elle s'était enfin endormie, ses rêves avaient été hantés à leur tour par cette vie qu'elle pensait oubliée.

Il était encore tôt et Luisa, la gouvernante, ne prendrait son service que dans deux heures. Elle se rendit à la cuisine et se prépara du thé. Elle posa la théière, une tasse et le petit pot à crème sur un plateau et disposa le tout sur une table ronde près de la balustrade de la terrasse. Là, les rochers tombaient à pic et donnaient l'impression de se trouver juste au-dessus de l'eau, comme sur un large plongeoir. Il faisait encore frais, elle resserra son épais peignoir blanc. La journée serait ensoleillée et chaude. À l'horizon, la ligne courbe du soleil se levait lentement et déroulait un tapis rougeoyant de plus en plus large sur la mer.

Qu'est-ce qui comptait vraiment ? Qu'est-ce qui avait compté jusqu'à présent ? Les petites choses que l'on remarquait à peine ? Était-ce parce qu'on les remarquait si peu qu'elles s'amassaient comme des gouttes dans une coupe pour en déborder des années plus tard et exiger enfin toute notre attention ?

Septembre 1939

Alwine était déjà retournée à l'internat. La guerre avait commencé, mais elle semblait irréelle et lointaine. Leonard et Jacob durent rejoindre le camp de travail du Reich seulement quelques jours après avoir reçu leurs convocations. Leonard courut à la maison des Pohl, et quand Therese ouvrit la porte, il la prit dans ses bras et la fit virevolter en hurlant de joie :

— Nous partons ensemble ! Jacob et moi, nous partons ensemble à Münster !

Le matin de leur départ, le ciel était bas et le brouillard épais. Quand Therese arriva à la gare, après dix minutes de marche, elle était en retard et trempée ; une humidité poisseuse s'était déposée sur son gilet en laine et sur sa tresse épaisse.

À la gare, elle vit Mme Kalder, la mère de Jacob, M. Kramer qui faisait ses adieux à son fils Leonard, et Wilhelm. Le train était prêt à partir. Elle distingua ses amis derrière les vitres sales d'un wagon et courut vers eux. Jacob mettait la valise de Leonard dans le porte-bagages ; ils riaient. Jacob baissa la vitre, se plaignit en plaisantant du poids des affaires de Leonard et promit d'écrire. Leonard lui envoya un baiser de la main. Elle leur tendit un petit sac qui contenait un gâteau aux pommes soigneusement emballé qu'elle avait préparé pour eux la veille. Le train s'ébranla, les deux jeunes hommes se penchèrent à la fenêtre, et Leonard lui cria :

— Nous nous reverrons à Noël !

Leurs têtes et leurs bras qui s'agitaient se perdirent dans la brume comme un dessin au crayon qu'un artiste insatisfait gomme, trait après trait.

Lorsque Therese sortit de la gare, Mme Kalder était déjà partie. M. Kramer se tenait près de sa voiture, Wilhelm près de lui. Elle alla les rejoindre et entendit M. Kramer remercier Wilhelm. En la voyant, M. Kramer s'empressa de monter dans sa voiture et de démarrer. Wilhelm vint à sa rencontre, lui sourit et dit :

— Et voilà, il n'y a plus que nous trois !

Elle demanda, étonnée :

— Oui, mais où est Hanna ?

— Elle leur a fait ses adieux hier soir. Elle a dit qu'elle devait aider à la traite ce matin, mais je crois qu'elle est un peu jalouse de Leonard. Après tout, c'est lui qui passera toutes ses journées avec Jacob, maintenant.

Il rit.

Il était venu à bicyclette et proposa de la ramener. Elle s'installa sur le cadre, entre ses bras. Elle sentait son haleine de fumeur sur sa nuque.

— Pourquoi M. Kramer te remerciait-il ? demanda-t-elle.

Le brouillard déposait de fines perles d'eau dans ses cheveux. La tête de Wilhelm était juste derrière la sienne.

— Je lui ai rendu un service.

— Quel service ?

Wilhelm resta silencieux un instant, puis dit :

— Promets-moi de n'en parler à personne.

Elle acquiesça.

— Leonard devait faire son service au Bureau de travail du Reich de Hanovre. Kramer m'a demandé si je pouvais faire en sorte que Leo et Jacob soient ensemble, et pas si loin… et, bon… grâce à Hollmann, j'ai pu arranger ça.

Dans sa voix, la fierté se mêlait à la gêne. Therese posa une main sur son bras et dit gaiement :

— Wilhelm, tu es un trésor. On peut vraiment compter sur toi.

Il lui proposa de l'emmener au Jägerkrug, le soir, et elle accepta son invitation.

Ce jour-là, Therese réalisa pour la première fois qu'il y avait désormais beaucoup de choses qu'elle devait garder secrètes.

Quelques jours auparavant, sa mère l'avait mise en garde contre le cordonnier Tönning et sa mère, Thea. Elle l'avait priée de ne jamais évoquer les absences nocturnes de son père devant eux. Les Tönning avaient pourtant toujours été des amis de la famille. Pendant des mois, son père avait soigné gratuitement le moignon de la jambe du cordonnier, et Thea était venue tous les jours voir la mère de Therese quand elle avait eu la diphtérie.

Alors Therese s'était demandé si son père n'avait pas tort de s'opposer aussi catégoriquement au parti national-socialiste. On parlait de ce mouvement dans les journaux, à la radio et aux actualités. Il prenait une importance toujours grandissante. Tout le monde participait et elle restait de côté, alors qu'elle aurait bien voulu en faire partie.

Cet après-midi-là, elle se rendit au magasin de tissus, qui faisait aussi mercerie, afin d'acheter dix boutons pour sa mère. La propriétaire du magasin, Gerda Hoffmann, militait au sein de la Ligue des femmes national-socialistes. Elle avait exposé en vitrine des galons et des épaulettes destinés aux Jeunesses hitlériennes et un mannequin portant l'uniforme de la Ligue des jeunes filles allemandes. Sur la porte, un écriteau annonçait : « Je couds des drapeaux de toutes dimensions. »

Quand Therese entra, Mme Hoffmann et Mme Reichert, la femme du boulanger, interrompirent leur conversation. Mme Hoffmann lui dit d'un ton aimable :

— Il paraît que tu n'as toujours pas adhéré à la Ligue des jeunes filles ?

Elle secoua la tête pour marquer son incompréhension.

— À ta place, j'y réfléchirais à deux fois. Ça ne fait pas bonne impression !

Elle serra fortement les lèvres et fixa Therese comme un enfant impoli que l'on vient de réprimander. Mme Reichert faisait mine d'être subjuguée par un galon.

Prise de court, Therese ne sut que répondre. Elle sentait qu'il aurait été stupide de dire la vérité, d'avouer que son père le lui avait strictement interdit.

— Je n'ai pas beaucoup de temps. Entre l'école et le cabinet... Ma mère est très fatiguée et mon père a besoin de mon aide !

Mme Hoffmann ne s'avoua pas vaincue.

— C'est bien beau, tout ça, mais rien ne t'empêche d'assister aux rassemblements. Ça ferait du bien à ta famille.

Elle souriait. Sa voix oscillait entre cajolerie et menace.

— Je vais à l'université après le baccalauréat, et j'ai pensé que ce serait mieux si je m'inscrivais à la Ligue des étudiants à ce moment-là.

Therese était fière de cette inspiration soudaine.

Mais Mme Hoffmann la dévisageait avec méfiance.

— Voyez-vous ça, la demoiselle aimerait faire des études. Mais je ne crois pas qu'ils t'accepteront, il y a bien assez de jeunes qui prouvent depuis longtemps déjà leur amour pour la patrie.

Therese déglutit et dit, pour mettre un terme à la conversation :

— Très bien, alors lundi soir, je viens à la réunion et j'adhère.

Quand Wilhelm passa la prendre pour aller au Jägerkrug, Therese fut soulagée. Son père n'était pas encore rentré, elle n'avait pas eu à lui confesser la promesse faite à Mme Hoffmann.

À la taverne, beaucoup de clients portaient l'uniforme. Wilhelm la prit par le bras et la mena directement à la table du Hauptsturmführer SS Hollmann. Celui-ci se leva pour la saluer galamment. Quand Wilhelm voulut la présenter, Hollmann dit :

— Inutile, je connais Mlle Pohl.

Puis il ordonna d'une voix sonore :

— Une chaise pour Mlle Pohl !

Therese était troublée. Hollmann la connaissait ? Elle n'avait pourtant jamais eu affaire à lui. On apporta une chaise, et elle n'eut pas d'autre choix que de s'asseoir à côté de lui.

— Que prendrez-vous, mademoiselle ? Vous êtes mon invitée.

Therese jeta un coup d'œil hésitant à Wilhelm. Elle ne savait pas comment se comporter et se répétait sans cesse : surtout, surtout fais bien attention à ce que tu dis !

Wilhelm lui fit un petit signe de la tête, comme à un enfant qu'on veut encourager.

Elle demanda un verre de vin blanc. Quand ils furent servis, Hollmann leva son verre pour porter un toast.

— Vous m'avez impressionné. J'aimerais vous féliciter de votre attitude !

Therese pensa que Mme Hoffmann avait informé Hollmann de sa décision d'adhérer à la Ligue des jeunes filles allemandes. Elle s'étonna qu'il s'intéresse à de telles futilités. Un instant, elle se sentit tout à fait à l'aise. Dès lundi, elle serait des leurs. Dès lundi, les choses seraient plus faciles.

Hollmann continuait à discourir, et sa voix trahissait sa satisfaction. Puis ils trinquèrent, et ses paroles se mêlèrent au son clair des verres s'entrechoquant.

Therese Mende n'avait jamais oublié que ce ne furent ni les paroles de Hollmann ni sa voix qui la terrorisèrent soudain. Ce fut le tintement léger et chantant des verres, la dissonance entre cette voix et ce son qui se propageait. Sans savoir comment, elle comprit brusquement que Hollmann parlait d'autre chose. Elle se tut, attendit, jeta un coup d'œil interrogatif à Wilhelm en faisant tourner nerveusement son verre par le pied. Hollmann posa la main sur son avant-bras et affirma :

— Vous avez bien fait, justement parce que c'est votre père ! La prison le ramènera peut-être à la raison.

Elle se souvenait d'une succession d'images. Des images sans son. Le vin renversé qui se répandait sur le plancher et

71

s'écoulait lentement dans les interstices entre les lames. Et une petite plume, du duvet de poule ou de canard. Elle était par terre. Le petit mouvement d'air provoqué par la chute du verre la souleva brièvement, puis elle retomba dans la flaque de vin et s'y noya en dansant.

Elle entendit Luisa sortir sur la terrasse. Elle s'adressa à Therese avec sa réserve habituelle, soucieuse de ne pas la déranger :

— Bonjour, madame Mende. Aimeriez-vous prendre le petit déjeuner ici ?

— Bonjour, Luisa.

Therese regarda sa montre, troublée. Il était presque huit heures. Elle se leva, un peu gênée. Jamais elle n'avait accueilli sa gouvernante en peignoir. Qu'allait-elle penser d'elle ?

— Veuillez m'excuser, Luisa, j'ai oublié l'heure. Je vais me préparer et prendrai le petit déjeuner ensuite.

12

22 avril 1998

Rita téléphona aux archives municipales, tôt le matin, et obtint un rendez-vous avec M. Scholten à onze heures. Celui-ci, un homme très jeune, la salua en s'inclinant brièvement et avec raideur puis la conduisit à une salle de réunion occupée en grande partie par une table imposante.

— Voici les documents que j'ai réunis sur la base des éléments que vous m'avez donnés au téléphone.

Il parlait de manière affectée, articulant chaque mot avec soin, et désigna des documents soigneusement disposés sur la table.

Rita découvrit l'acte de naissance et le certificat de baptême de Therese Pohl. Margarete Pohl, la mère de Therese, était morte en 1944, et son père, Siegmund Pohl, peu après la fin de la guerre, en 1946. La famille avait d'abord habité à Kranenburg, où se trouvait le cabinet de Siegmund. En 1940, ils avaient emménagé dans la maison des Höver. Rien n'indiquait que Siegmund Pohl avait continué à exercer après cette date.

Rita recopia toutes ces données, puis elle demanda :

— Et Wilhelm Peters ? Avez-vous des renseignements sur Wilhelm Peters ?

L'homme désigna discrètement une autre chemise.

— Si vous voulez bien regarder celle-ci.

Il surveillait tous les gestes de Rita comme s'il craignait qu'elle endommage les documents.

Wilhelm Peters était né en 1920, fils du pharmacien Gustav Peters et d'Erna, son épouse. En 1946, ses parents avaient déménagé à Schwerte.

Rita nota aussi ces informations.

— Wilhelm Peters était dans la SS. Vous n'avez rien là-dessus ?

L'homme se pencha pour classer les feuilles qu'elle avait éparpillées en plissant le front d'un air de reproche.

— Nous ne possédons malheureusement que très peu de documents sur la période national-socialiste. Certains ont disparu lors des incendies causés par le bombardement de Kranenburg, mais on suppose que la plupart ont été intentionnellement détruits pour éviter qu'ils ne tombent entre les mains de l'occupant.

Il pinça les lèvres et secoua la tête comme s'il s'agissait d'un affront personnel, puis il ajouta :

— L'enquête menée lors de la dénazification a conclu que Peters était un sympathisant. En ce qui concerne le Dr Pohl, nous savons qu'il faisait partie du conseil municipal jusqu'en 1933. C'était un centriste et un adversaire déclaré du NSDAP. Grâce à un courrier adressé par le prêtre de la paroisse à l'évêque de l'époque, nous savons qu'il a été incarcéré et forcé de fermer son cabinet. Sa femme et lui étaient de fervents catholiques. On l'accusait constamment d'être un ennemi de la nation en paroles et en actes.

Rita, qui se grattait la tête avec son stylo, s'exclama soudain :

— Voilà qui est intéressant ! Il a dû être ravi que mademoiselle sa fille épouse un Scharführer SS.

L'archiviste leva un sourcil en un silence réprobateur, puis il se leva et rangea les feuilles dans les chemises et les classeurs. Il allait classer l'acte de naissance de Therese, il se figea et ressortit la feuille de papier.

— Avez-vous vu ceci ?

Il lui montra une note manuscrite portée au crayon sur le dos de la page.

Copie certifiée conforme établie le 18.09.1952.

Rita observa le document.

— Y a-t-il une adresse ? Cet extrait a bien dû être envoyé ? Si oui, il doit y avoir une adresse…

Ses mots se bousculaient d'excitation.

M. Scholten feuilleta une nouvelle fois attentivement la liasse de papiers.

— Non, il n'y a pas de courrier. Quelqu'un a dû passer prendre le document.

Elle s'exclama :

— Merde ! Ç'aurait été trop beau.

Scholten sursauta et se racla la gorge. Il empila les dossiers examinés sur une espèce de chariot à desserts et fit glisser deux nouveaux classeurs vers Rita.

— Vous m'avez demandé des éléments sur la disparition de Wilhelm Peters ; voici des coupures de presse trouvées dans nos archives. En revanche, je n'ai rien trouvé sur Therese Peters.

Quand Rita commença à feuilleter, il tapota de l'index les trombones de couleur avec lesquels il avait marqué les pages intéressantes.

— Peut-être voulez-vous consulter ces articles en particulier ?

Il y en avait trois. Le premier, rédigé une semaine après la disparition de Peters, était un simple appel à témoins. Quiconque possédait des informations concernant Wilhelm était prié de se présenter à la police locale.

Le deuxième, daté du mois suivant, sous-entendait clairement que Wilhelm devait être mort. Therese n'était pas directement accusée, mais on pouvait lire : *La police met en doute les déclarations de l'épouse.*

Le troisième et dernier article, daté du mois de décembre, était intitulé : *Toujours aucune trace de Wilhelm Peters.* Lui non plus ne contenait aucun élément nouveau pour Rita.

Scholten rangea soigneusement les classeurs sur le chariot avant de raccompagner Rita jusqu'à la porte.

Elle le remercia et lui tendit la main. Contre toute attente, celle de M. Scholten était ferme et sèche.

Sur le chemin du retour, elle se demanda pourquoi la police avait classé cette affaire au bout de deux mois seulement.

Une fois chez elle, elle s'empressa d'appeler son collègue Köbler, à Cologne. Dès qu'elle s'annonça, il dit :

— Je n'ai pas encore avancé.

— Ce n'est pas pour cela que je t'appelle. J'ai du neuf.

Elle lui parla de l'extrait d'acte de naissance.

— Therese a dû en avoir besoin pour établir de nouveaux papiers d'identité. Peut-être devrais-tu concentrer tes recherches à la fin de l'année 1952.

Elle trouva le numéro de l'ancien brigadier-chef Gerhard dans l'annuaire. Il vivait à Kleve. Quand elle lui exposa l'objet de son appel, il resta longtemps silencieux, puis lui proposa d'une voix traînante et éraillée :

— Passez me voir.

Ils prirent rendez-vous pour le lendemain.

Köbler la rappela alors qu'elle se préparait un café dans la cuisine. Il lui demanda carrément :

— Pourrais-tu m'expliquer pourquoi tu t'intéresses tant à cette Therese Pohl ?

— Tu as trouvé quelque chose ? demanda-t-elle sur un ton excité.

— Ça se pourrait, répondit-il pensivement.

Rita sut tout de suite qu'il avait découvert quelque chose d'important ; sinon, il n'aurait pas essayé de lui soutirer des informations. Elle décida de se montrer conciliante.

— Je suis tombée sur une vieille photo, dans ma maison. Therese Pohl y a vécu après la guerre, et j'aimerais savoir ce qu'elle est devenue.

Köbler se mit à rire.

— Ne me prends pas un idiot, Rita. Tu tiens sûrement une bonne histoire.

Rita réfléchit brièvement.

— Je n'en sais rien. Ça se pourrait, mais je n'en sais pas encore assez.

Après un bref silence, Köbler dit :

— Bon. Je n'ai trouvé aucune Therese Peters, née Pohl, mais une Therese Pohl, de Kranenburg, a figuré sur les listes municipales de Francfort à partir de 1952. Elle y travaillait comme couturière.

— Mais alors… comment se fait-il que la police ne l'ait jamais retrouvée ?

Un rire bref résonna à l'autre bout de la ligne.

— À l'époque, les administrations n'étaient pas encore en réseau, et je suppose qu'ils ont dû faire rechercher Therese Peters.

Rita se souvint que les investigations avaient été interrompues au bout de deux mois seulement.

Köbler ne parlait plus, ce qui signifiait qu'il n'en avait pas terminé. Elle refréna son impatience, laissant son collègue savourer cet instant de triomphe qu'elle connaissait si bien, l'instant où l'on sait qu'on détient une information capitale.

— Dis, je toucherai ma part, le jour où tu vendras cet article ?

Elle hésita :

— Pourquoi pas...

— Vingt pour cent ?

Rita déglutit bruyamment. Si Köbler posait de telles conditions, c'est que l'information était de taille.

— Dix, lui proposa-t-elle.

Son silence la mettait sur les nerfs, il dit enfin :

— OK, va pour dix pour cent. Therese s'est remariée en 1956. Si tes informations sont exactes, nous avons affaire à un cas de bigamie.

Elle se sentit brusquement déçue.

— Oh, là là ! Ça n'intéresse plus personne, aujourd'hui ! En plus, Peters avait disparu, le mariage aurait pu être annulé sans problème.

— Tu as raison, mais Therese n'a pas épousé n'importe qui. Elle a épousé... Tillmann Mende.

Rita mit du temps à réaliser de qui il s'agissait.

— Mende ? Tu veux dire Mende comme dans « Mende Fashion » ?

— Oui. Therese Peters, ou Pohl, peu importe, est l'actuelle Mme Mende, une des chefs d'entreprise les plus en vue d'Allemagne.

Les pensées de Rita se bousculaient. Elle avait eu du flair. C'était vraiment un scoop.

— Saurais-tu par hasard... ?

Il l'interrompit :

— Elle a quitté la direction de la société il y a trois ans et vit maintenant retirée à Majorque.

— Où, à Majorque ? demanda-t-elle sans reprendre sa respiration, et en notant « Mende » et « Majorque ».

— Tu penseras à mes dix pour cent ? J'ai eu du mal à trouver ses coordonnées.

— Oui. Promis, dit-elle avec impatience.

Il lui donna l'adresse.

— Tiens-moi au courant, ajouta-t-il encore.

Elle raccrocha et resta immobile un bon moment.

Puis elle se leva d'un bond, raccorda son ordinateur à la sortie Internet et tapa : Mende Fashion.

13

22 avril 1998

Luisa débarrassa la table du petit déjeuner, et Therese, vêtue d'un caftan en taffetas bleu et d'un pantalon étroit assorti, partit comme tous les jours se promener dans la baie. La rue en pente raide longeait de petits hôtels, des cafés avec vue panoramique, une agence immobilière et un magasin de souvenirs. Elle échangea quelques mots en espagnol avec la propriétaire de la boutique, qui poussait des présentoirs garnis de jouets de plage et de cartes postales vers le bord de la rue en se plaignant de la faible fréquentation en ce début de saison.

La plage de sable ne faisait que cinq cents mètres de long, mais de part et d'autre, des sentiers étroits taillés dans le roc permettaient aux promeneurs de rejoindre les baies voisines en longeant la mer.

Un vent léger s'était levé, et à l'école de windsurf, des débutants revêtus de combinaisons en néoprène s'activaient autour de voiles et de planches. Des cris, des rires et le bruit régulier des vagues lui parvenaient. Cette insouciance.

Le lendemain, elle se rendit à l'hôtel de ville et demanda à voir son père.

M. Grünwald, le policier, qu'elle connaissait depuis l'enfance, secoua la tête dès qu'il la vit. Il sortit avec elle et lui dit :

— Je suis vraiment désolé, Therese, mais je ne peux rien faire. Ton père est à Kleve.

Il voulut lui tapoter les joues comme autrefois, mais laissa retomber son bras.

— Ça va s'arranger, murmura-t-il. Le pasteur est déjà passé, et j'ai entendu dire que l'Oberst Kalder avait appelé. Ils devront sûrement le relâcher bientôt.

Le soir du troisième jour, elle attendit Wilhelm devant l'hôtel de ville.

Elle vit son effroi et se sentit rougir de honte. Il prit congé sur le perron de deux hommes en uniforme SS, traversa la place et lui fit un petit signe de tête pour lui demander de le suivre.

Elle attendit un moment avant de s'engager dans la ruelle où il avait disparu. Soudain, une main l'attira sous un portail qui s'ouvrait sur une cour entre deux maisons.

— Je suis désolé, Therese. Il faut me croire. Je ne savais rien de l'incarcération. Je ne t'aurais jamais emmenée à l'auberge si je l'avais su.

Therese s'étonna de sa voix implorante. La pensée que Wilhelm ait déjà été au courant de l'arrestation de son père, ce soir-là, ne l'avait absolument pas effleurée.

— Mais je ne pense pas ça du tout, Wilhelm. Dis-moi, comment va-t-il ? Où est-il ? Qu'est-ce qu'on lui reproche ?

Wilhelm continua à parler comme s'il n'avait pas entendu ses questions :

— Therese, on ne doit plus nous voir ensemble. Il faut que tu le comprennes. Ton père nous a mis en très grande difficulté, et ce soir-là…

81

Il ne la regardait pas. Ses yeux erraient sur les façades grises de la cour et scrutaient les fenêtres étroites et sombres comme s'il essayait d'y distinguer des silhouettes.

— Tu n'aurais pas dû t'enfuir comme ça, tu comprends ? Tu t'es rendue suspecte, et moi avec. Ils m'ont fait passer un interrogatoire en règle.

— Je suis désolée, Wilhelm. Je ne voulais pas t'attirer d'ennuis.

Il resta pensif un moment, puis reprit :

— Ton père est un collaborateur, tu comprends ? Ils le soupçonnent, avec d'autres, d'avoir fait passer des juifs et des communistes en Hollande.

Therese déglutit. La peur, froide et dure comme l'acier, envahit d'abord son ventre, puis se répandit dans tout son corps et l'obligea à penser au ralenti. Elle songeait aux absences nocturnes de son père, que sa mère expliquait par des visites à domicile et dont elle ne devait parler à personne.

— S'il te plaît, Wilhelm, est-ce que tu l'as vu ? Comment va-t-il ?

Les larmes inondaient son visage, elle sentait sa voix trembler dans sa gorge.

Il la saisit par les bras.

— Je ne l'ai pas vu, mais j'ai entendu dire qu'il ne parlait pas. Ils l'interrogent. Des gens influents intercèdent en sa faveur. Ils le relâcheront sans doute bientôt.

Il lui prit le visage entre ses mains et la regarda au fond des yeux.

— Therese, il faut que tu prennes tes distances avec ton père. Adhère et milite à la Ligue des jeunes filles. Hollman dit que si tu ne montres pas que tu... de quel côté tu es... S'il te plaît, fais-le pour moi !

Puis il l'embrassa sur la bouche. Comme elle ne lui rendait pas son baiser, il recula d'un pas et la fixa.

— Therese, je t'aime, fais-le pour nous !

Son corps était raide et lourd, ses pensées restaient en suspens, comme bloquées.

Wilhelm m'aime, se dit-elle en cherchant dans son corps figé un sentiment plus fort que l'amitié, un moment de joie peut-être, une attirance profonde qui exigeait plus de proximité. Mais au lieu de cela, elle se demanda pourquoi il avait précisément choisi ce moment pour lui faire cette déclaration rapide et murmurée, dans le secret d'une arrière-cour.

Et elle pensa à Alwine, sa meilleure amie, qui était amoureuse de Wilhelm. Elle baissa la tête.

— Je dois réfléchir, Wilhelm.

Elle franchit le portail précipitamment et s'engagea dans la ruelle.

— Mère doit se faire du souci, murmura-t-elle avant de s'éloigner d'un pas rapide.

Les jours suivants, l'inquiétude et le sentiment de solitude la rongèrent. Elle ne se rendit plus à l'hôtel de ville. Plus tard, elle repensa souvent à la distance qui s'installe entre deux personnes quand il est question d'amour, d'amour non partagé.

Les soirs suivants, Therese se posta à la fenêtre du séjour. De là, elle voyait Wilhelm quitter l'hôtel de ville et rentrer chez lui. Son chemin passait devant la maison des Pohl, et il regardait toujours dans cette direction, mais jamais Therese ne fut prise d'une envie soudaine de se précipiter dehors, de se jeter dans ses bras et de lui dire : « Tu as raison. Dans ma tête, tout est confus, et je complique les choses inutilement. »

Alors elle tournait le dos à la fenêtre et regardait sa mère, qui ne quittait plus la maison et raccommodait du linge, les mains tremblantes.

La nuit, Margarete Pohl restait assise à la table de la cuisine, immobile, et fixait l'obscurité par la fenêtre. Elle accomplissait machinalement les tâches quotidiennes, mais s'interrompait souvent, le regard fixe. Puis elle paraissait se réveiller, et regardait autour d'elle avec étonnement, comme si elle se trouvait dans un endroit inconnu. Sa nervosité avait disparu, et il semblait parfois à Therese que sa mère était contente de savoir au moins où se trouvait son mari. Oui, elle avait l'impression que sa mère s'imaginait qu'il était en sécurité, en prison.

C'était un lundi, tôt le matin. Le soleil était moins chaud, mais les journées étaient claires et lumineuses. L'automne parait les arbres et les haies de rouge et d'or, et le parfum sucré des pommes et des poires tardives se mêlait à l'odeur de la terre fraîchement labourée pour l'hiver.

Therese aidait sa mère à faire la lessive. Dans la cave, elle alla chercher un panier en osier rempli de linge qu'elles avaient fait bouillir et le posa dans la cour. Puis elle passa un chiffon sur les cordes à linge tendues entre cinq poteaux. Le sac qui contenait les pinces à linge était noué autour de sa taille à la manière d'un tablier. Le froid mordit ses mains humides quand elle étendit un drap mouillé. Soudain, elle l'aperçut près de la porte arrière de la cour et se mit à hurler.

Son arcade sourcilière droite était ouverte, son œil gauche enflé et ses lèvres fendues. Margarete Pohl monta l'escalier de la cave en courant et fixa son mari. Puis elle s'agrippa à lui et se mit à geindre :

— C'est pas vrai, ça peut pas être vrai !

Elle ne cessait de passer la main sur son visage meurtri, répétant sans arrêt cette même phrase. Le père pleurait. Jamais Therese ne l'avait vu pleurer auparavant. La mère le poussa dans la cuisine et le fit asseoir sur une chaise, puis elle prit de l'eau chaude dans la bouilloire et nettoya le sang coagulé sur son visage.

Therese s'assit à côté de son père. Il lui prit la main. Quand la mère eut soigné ses plaies, elle lui ôta sa veste et sa chemise. Puis elle vacilla et se laissa tomber lourdement sur la banquette de la cuisine. Le torse du père était couvert d'hématomes.

Therese Mende se souvenait du silence, ce silence dans lequel on cherchait, le souffle coupé, des mots que l'on ne connaissait pas, des mots qu'il fallait inventer.

— Ça, ça guérira, dit le père, comme s'il existait autre chose qui ne guérirait jamais.

Sa mère le mit au lit. Quand elle redescendit, ses mouvements avaient gagné en fermeté, et elle balaya la cuisine à petits gestes plein de colère. Elle, qui était la douceur même et traversait la vie dans une sorte de torpeur, semblait désormais mobiliser toute son énergie. Elle ne cessait de monter dans la chambre, comme pour s'assurer qu'il y était bien couché, comme pour s'assurer qu'ils avaient vraiment osé le frapper, comme si elle ne comprenait pas que cette journée puisse s'écouler comme les autres.

La nuit, Therese fut réveillée par un bruit dans sa chambre. Quand elle ouvrit les yeux, son père était assis au bord de son lit. Il posa un doigt sur ses lèvres fendues.

— Therese, je sais que je t'en demande beaucoup, mais tu dois faire quelque chose pour moi.

Elle s'assit. Il défit un lien qui entourait une serviette en cuir. Elle reconnut des cartes d'identité.

— Il faut que tu portes d'urgence ces affaires au mirador de chasse du domaine Kalder. Tu t'en souviens ? Nous y allions parfois, autrefois. La clairière non loin de la frontière hollandaise.

Elle hocha la tête. Elle entendait Wilhelm lui dire : « Collaborateur... On lui reproche d'être un traître à la patrie. »

Quelques mois auparavant, elle était passée devant ce mirador avec ses amis.

— Mais il est tombé en ruine...

Le père posa de nouveau un doigt sur ses lèvres.

— La paroi de gauche est faite de deux couches de planches. La planche du milieu n'est pas fixe. Tu devras l'enlever et glisser la serviette dans l'ouverture. Fais attention de bien la bloquer pour l'empêcher de tomber.

Therese acquiesça encore machinalement.

— Mais écoute-moi bien, passe d'abord chez les Kalder. Ne va surtout pas directement au mirador.

Siegmund Pohl ouvrit le tiroir de la table de nuit et y glissa la serviette. Therese osa encore demander à voix basse :

— Pour qui sont ces papiers ?

— Pour des gens qui ont besoin de quitter ce pays de toute urgence, dit-il en se penchant vers elle.

Il l'embrassa sur le front et se leva avec difficulté. Elle le retint par la main.

— Ils disent que tu es un collaborateur.

Siegmund Pohl la regarda gravement.

— Je suis un chrétien, Therese, un chrétien et un démocrate.

Quand il fut parti, Therese prit la serviette de cuir et l'ouvrit. Van de Kerk. Henk van de Kerk, Sophie van de Kerk et leurs enfants, Hendrika et Jan. Et une jeune femme à peine plus âgée qu'elle. Leni Platjes.

Therese déglutit. Elle connaissait cette femme. Ce n'était pas Leni Platjes. C'était Karla Goldbach, qui avait passé le baccalauréat dans son lycée deux ans auparavant.

Des années plus tard, Therese Mende avait dit à son mari que ce soir-là, elle avait pris une décision. À présent, il lui semblait avoir fait preuve de suffisance. Elle n'avait pas pris de décision, elle avait voulu rendre service à son père épuisé. Rien de plus.

Le lendemain, après le petit déjeuner, elle enfourcha son vélo et se rendit chez les Kalder. Là, elle demanda si Alwine rentrerait pour le week-end et si Jacob avait donné de ses nouvelles. Dans la cuisine, on lui servit un grand café bien chaud, et Martha, la bonne, lui raconta les derniers commérages. Personne ne lui parla de son père, bien qu'elle fût certaine que tout le monde était au courant de son arrestation. Avant qu'elle ne parte, la vieille Bertha lui caressa les cheveux. Les ronces du bord du chemin avaient revêtu de brillantes couleurs rouge fuchsia et rouge brique, et quand elle arriva dans la forêt, une lumière couleur miel tombait des feuillages d'automne. Elle fut étonnée de se retrouver dans la clairière au bout de quelques minutes à peine. Elle posa son vélo contre un arbre et se fraya un chemin dans les hautes herbes et les fougères. Son cœur battait la chamade, ses jambes et ses bras tremblaient tandis qu'elle grimpait à l'échelle. La trappe était lourde. Elle trouva la planche qui n'était pas fixe, glissa le petit paquet ficelé dans l'ouverture et remit la planche devant. En se dirigeant vers le domaine Kalder, elle ne cessait de se retourner, comme si elle pensait être suivie. Les battements de son cœur se calmèrent seulement lorsqu'elle eut dépassé la ferme.

Son père se rétablit, mais quand il rouvrit son cabinet, les patients ne s'y pressèrent plus. Personne ne voulait être vu chez lui. Parfois, le Dr Pohl trouvait un mot dans sa boîte aux lettres. On lui demandait s'il pouvait passer le soir voir un nouveau-né qui avait une forte toux, un fils qui avait fait une mauvaise chute ou une vieille mère qui ne cessait de rendre. Ce que Margarete avait affirmé au cours des mois précédents devint ainsi réalité : son mari passait la moitié de ses nuits hors de la maison. Il visitait des malades.

14

22 avril 1998

Quand Rita appela le numéro en Espagne, une certaine Luisa Alfonsi répondit, puis il se passa encore un moment avant qu'une voix assurée n'annonce enfin :

— Mende.

Rita se présenta et s'apprêtait à exposer l'objet de son appel quand la femme l'interrompit d'une voix ferme :

— Je sais qui vous êtes. Venez-en au fait !

Rita, désarçonnée, chercha à cacher son manque d'assurance. Pourquoi cette femme la connaissait-elle ?

— C'est au sujet de votre mariage avec Wilhelm Peters, dit-elle rapidement.

— Et alors ? réagit son interlocutrice immédiatement.

— Eh bien, j'aimerais vous interviewer à ce sujet.

— Je ne donne pas d'interviews.

Rita avala sa salive ; elle avait compté sur l'effet de surprise.

— Mais vous ne niez pas avoir épousé Wilhelm Peters et avoir été soupçonnée de meurtre après sa disparition ?

— Si vous pensez tenir une bonne histoire, vous vous trompez. Ne vous mêlez pas de ça, dit Therese Mende sans ambages.

Rita faillit étouffer d'indignation. Qu'est-ce que cette femme s'imaginait ?

— Je suis journaliste et travaille à un article. Si vous refusez de me parler, je publierai le résultat de mes recherches même sans votre version des faits.

Là encore, la réponse fusa immédiatement, avec une assurance qui rendit Rita nerveuse :

— Vous n'êtes qu'une petite oie blanche. Je vous conseillerais de vérifier soigneusement vos prétendus faits. Vous ne seriez pas la première journaliste à ruiner sa carrière par des diffamations. Je vous assure que je n'hésiterai pas à vous attaquer en justice et que j'obtiendrai gain de cause. Ça, je peux vous le garantir.

Sur ces mots, elle raccrocha.

Rita reposa brutalement le combiné, se précipita dans le jardin et se mit à arpenter le verger en écumant de rage.

Therese Mende bluffait. C'était la seule explication possible. Elle en avait l'habitude, c'était une femme d'affaires réputée, mais Rita ne se laisserait pas impressionner. D'un autre côté… Elle avait souvent eu affaire à des gens sans scrupules qui l'avaient menacée et insultée, mais avec cette Mende, c'était différent. Elle n'avait pas eu la moindre seconde d'hésitation, elle n'avair pas montré le plus petit signe d'inquiétude. Et puis, comment savait-elle qui elle était ?

Quand elle fut calmée, elle se dirigea vers la terrasse et entendit le téléphone sonner dans la maison. C'était Robert Lubisch.

— Le séminaire vient de se terminer, madame Albers, je vais prendre la route. Je dois vous parler.

Rita leva les yeux au ciel et réfléchit un instant.

— Bon, concéda-t-elle. Passez me voir. J'ai de nouvelles informations qui pourraient vous intéresser.

Tout au long de la journée, Robert Lubisch avait eu du mal à se concentrer et à suivre les exposés des conférenciers. Il n'avait cessé de penser à Rita Albers, à ce qu'elle découvrirait encore et à ce qui pourrait arriver. Ce mot « arriver » sonnait comme une menace ; plus il y pensait, plus le son du « i » s'amplifiait dans sa tête et y hurlait à la manière d'une sirène.

La nuit précédente, il avait mal dormi et fait un mauvais rêve : il se trouvait dans la maison de ses parents et allait d'une pièce à l'autre en cherchant quelque chose. Il ignorait quoi, mais avait l'intime conviction d'être sur la bonne voie, de le reconnaître en le voyant. Sa mère était assise dans la cuisine, le visage dissimulé dans ses mains maigres dont les veines bleues transparaissaient sous la peau parcheminée. Elle portait un châle en laine noire ; quand elle laissa tomber ses mains, son visage était étonnamment jeune. Elle dit : « C'est l'œuvre de sa vie. » Sans paraître le voir, elle se leva, lui tourna le dos et se dirigea vers la porte de la cuisine. À chacun de ses pas, les mailles de son châle se défaisaient, rang par rang, depuis la pointe. Elle continuait à marcher sans atteindre la porte. Son dos se dénudait petit à petit, et il savait que c'était de sa faute : il avait posé le pied sur un brin de laine et était incapable de l'en ôter.

Il s'était réveillé en sursaut une première fois et avait bu un verre d'eau. Puis il s'était rendormi, et s'était de nouveau retrouvé à errer dans la maison. Il était toujours à la recherche de quelque chose, mais cette fois, il n'avait plus aucune confiance en lui, il avait peur et était poussé par une hâte inexplicable. Il monta en courant le large escalier tournant et redevint l'enfant d'autrefois. Comme il ouvrait toutes les portes, il finit par comprendre qu'il cherchait son père. Il le trouva dans le bureau, installé dans son fauteuil. Le siège était surdimensionné et son père très petit, ses pieds ne touchant pas le sol. Tenant la boîte à cigares sur ses genoux, il dit d'une voix à peine audible : « Viens, je vais te la montrer. »

Trempé de sueur, Robert s'était assis dans son lit. À quatre heures, il s'était levé par crainte de faire d'autres rêves.

Plus tard, alors qu'il écoutait l'exposé d'un collègue, il s'était souvenu d'un incident survenu alors qu'il était encore étudiant. Il passait les vacances chez ses parents et les avait accompagnés au concert. Son père, qui ne buvait que rarement, avait pris du vin rouge au dîner. Pendant l'entracte, il avait bu du mousseux, salué des connaissances et présenté son fils. « C'est mon fils, avait-il dit, le futur dirigeant de la SARL Lubisch. » Robert avait pris sur lui, ne voulant pas se disputer en public avec son père. Alors qu'ils regagnaient leur place, sa mère l'avait pris à part et lui avait murmuré : « Laisse-lui ce plaisir. Il est tellement fier de l'œuvre de sa vie. De toi et de l'œuvre de sa vie. »

Mais Robert avait seulement retenu que son père ne faisait aucun cas de sa décision de devenir médecin. Une fois à la maison, ils avaient eu une de ces disputes qui, au fil des années, devenaient de plus en plus fréquentes et ne cessaient de les éloigner l'un de l'autre. Son père avait défendu ses idées avec une force incroyable et ignoré, voire nié, tout ce qui ne s'accordait pas avec sa vision du monde. Qui sait, peut-être en avait-il fait de même avec sa propre histoire ?

Robert sentit une bouffée de chaleur l'envahir, entendant dans son oreille interne son sang gronder au rythme des battements de son cœur.

Qu'est-ce que cette journaliste allait encore découvrir ?

Son collègue avait terminé son exposé, un mouvement se fit dans la salle, des chaises furent repoussées. Robert resta assis.

Son père était mort. La femme de la photo n'avait pas été sa maîtresse, c'était tout ce qu'il voulait savoir. Il ne tolérerait pas que cette journaliste jette la vie de son père en pâture.

15

22 avril 1998

Le bref entretien téléphonique avec Rita Albers avait d'abord mis Therese Mende en colère avant de la plonger dans un état de prostration, un vide dans lequel elle ressassait les mêmes pensées. Sur la desserte, elle prit le cadre argenté contenant la photo de sa fille. Celle de son mari, encore ornée d'un crêpe de deuil, se trouvait à côté. Il aurait su parler à Isabel, il aurait trouvé les mots justes. Mais elle ? Comment pourrait-elle dire à sa fille, désormais adulte, ce qu'elle lui avait caché pendant toutes ces années ? Isabel avait un caractère fort, c'était incontestable. Elle saurait faire face. Mais comment se comporterait-elle avec elle à l'avenir ? Supporterait-elle de voir sa fille s'éloigner, incapable de lui pardonner d'avoir menti sur son passé ?

Le zèle journalistique aveugle de Rita Albers allait détruire sa vie.

Elle reposa le cadre. Cette femme irait vendre son histoire au plus offrant. C'était une question d'argent. Bien sûr, tout n'était qu'une question d'argent.

Cette pensée, comme une libération, la poussa à agir. Elle parla au téléphone avec son avocat pendant plus d'une heure, puis s'installa sous l'auvent de la terrasse et sentit la tension se relâcher. Il suffirait de s'entendre sur le montant. Mais elle-même ne connaîtrait plus de répit. Depuis que les premières visions avaient refait surface dans sa mémoire, cette partie cachée de sa vie ne cessait de réclamer sa place, la happant comme un tourbillon irrésistible dès qu'elle restait un moment inactive.

Noël 1939

Au cours de la première moitié de décembre, Kranenburg prit l'allure d'une esquisse tracée au fusain tendre. La neige s'accumulait sur les toits. Les prés et les champs étaient pareils à d'immenses draps mis à blanchir un jour de grande lessive. Les allées de peupliers dressaient leurs lignes estompées dans le silence immaculé. Près de l'étang, les corbeaux criaient famine du haut des arbres nus.

Dans la rue, les gens se pressaient, courbés sous le froid humide et lourd.

Therese adhéra à la Ligue des jeunes filles allemandes et sa mère à la Ligue des femmes national-socialistes. Les Pohl avaient pris cette décision en famille, espérant ainsi échapper à l'attention générale. Et ils purent enfin vivre en paix, une paix fragile et concentrée, sorte de trêve aux aguets.

Au cours des semaines précédentes, elle s'était rendue trois fois au mirador pour y déposer ou y prendre des papiers.

Elle voyait Wilhelm de temps en temps. Maintenant qu'elle était des « leurs », il se montrait en sa compagnie. Ils allaient se promener ou s'installaient dans le petit café près de l'église. Quand il la regardait, ses yeux bleu clair s'illuminaient d'une joie sincère. Parfois, il faisait des projets. Au café, il lui murmura qu'il désirait une famille nombreuse.

Au cours d'une promenade, il dit rêver de quitter Kranenburg pour s'installer dans une grande ville et y occuper une fonction très importante. Puis, à chaque fois, il attendait, et Therese avait l'impression qu'il espérait un signe de sa part, un geste qui l'encouragerait à lui parler de nouveau de son attirance pour elle.

Peu avant Noël, la splendide parure blanche disparut, et l'hiver se fit exceptionnellement doux. Quand Alwine rentra pour les vacances, il pleuvait. Seule une étroite bande de neige boueuse au bord de la route rappelait que l'on était en hiver.

Alwine lui raconta avec enthousiasme sa vie à l'internat et à Düsseldorf. Elle portait des chaussures à talons élégantes, exhiba du rouge à lèvres et du vernis à ongles et lui montra un de ces tailleurs bleus et moulants que les femmes portaient dans les magazines de mode. Elle lui parla de son quotidien à l'école, des appels au drapeau, des marches au pas cadencé et des punitions infligées aux élèves surprises avec du rouge à lèvres ou des talons hauts. Puis elle éclata de son rire communicatif, et Therese réalisa combien son amie lui avait manqué. Elle aurait pu l'écouter pendant des heures. Alwine avait fait couper ses tresses rousses et ses cheveux bouclés lui arrivaient à présent aux épaules. Son front s'ornait d'une boucle parfaite maintenue par de petits peignes. Elle lui raconta aussi que le week-end, elle se rendait en cachette avec des camarades de classe dans les cafés où se produisaient des musiciens, et lui fit une démonstration de swing et de fox-trot. Enfin, elle ne cessa de lui demander des nouvelles de Wilhelm. Comment allait-il ? L'avait-elle vu ? Lui avait-il parlé d'elle ?

Ce soir-là, en rentrant à bicyclette par les sentiers étroits qui longeaient prés et champs, Therese se sentit déprimée. Elle n'avait pas eu le courage de révéler à Alwine la déclaration que Wilhelm lui avait faite. Elle n'avait pas non plus évoqué l'arrestation de son père.

Bien plus tard, quand Therese Mende raconta cette soirée à son second mari, elle lui dit s'être sentie coupable. Pas parce que Wilhelm l'aimait, elle et pas Alwine, mais parce qu'elle-même *n'aimait pas* Wilhelm. Parce qu'elle privait ainsi Alwine d'un amour dont elle ne voulait pas.

Et puis le 23 décembre, Jacob vint en permission, sans Leonard.

Elle attendait avec Hanna, Alwine et Wilhelm sur le quai de la gare quand le père de Leonard sortit du petit hall et remonta le quai pour les rejoindre. Maître Kramer était un homme petit et rond au visage sérieux dont la froideur impressionnait Therese quand elle était enfant. Ce jour-là, il semblait détendu. Il souriait même.

Quand le train entra en gare et que Jacob fut le seul à en descendre, Therese le vit blêmir. Il était tellement pâle qu'on eut un instant l'impression que seuls le manteau strict et élégant en laine noire, le chapeau gris et les chaussures bien cirées se trouvaient encore sur le quai, immobiles, exposés, comme drapés sur un cintre.

Jacob avait changé. Il n'avait plus rien d'un adolescent. Son uniforme le faisait paraître encore plus grand, et on voyait qu'il travaillait au grand air.

— Leonard n'a pas eu de permission, dit-il en laissant son regard errer sur les rails pour éviter le leur.

Therese entendit la voix de M. Kramer s'élever entre le chapeau gris et le manteau noir.

— Pourquoi ?

Jacob secoua la tête et dit avec une amertume que Therese ne lui connaissait pas :

— Parce qu'il a plu au Feldmeister d'en décider ainsi !

Chapeau et manteau firent demi-tour et les chaussures de cuir se dirigèrent vers le hall de la gare. Jacob courut après M. Kramer, le saisit par la manche, puis il monta à côté de lui dans la voiture et ils partirent.

Le quai se vidait. Des gens flânaient bras dessus, bras dessous en riant et en gesticulant, d'autres se pressaient, le chapeau enfoncé bas sur le front. Le train desserra ses freins en sifflant. Les roues se mirent à battre un rythme d'abord lent qui alla s'accélérant et vint résonner contre le toit en tôle du quai. Therese se sentit écrasée. La valise de Jacob se trouvait encore sur le quai, oubliée là.

Therese attendit, puis elle s'approcha lentement du bord du quai et regarda dans la direction d'où le train était venu. Elle aurait voulu le voir entrer en gare une seconde fois.

Hanna regardait la voiture de M. Kramer s'éloigner avec Jacob à son bord, Jacob qui l'avait à peine saluée.

Wilhelm fut le premier à se ressaisir. Il prit la valise de Jacob, et ils quittèrent la gare en silence.

Des rafales de vent rabattaient la pluie sur la place de la gare. Malgré le mauvais temps, jusqu'à l'arrivée de Jacob, Therese s'était réjouie à l'approche de Noël, car elle pensait retrouver tous ses amis après une longue absence.

Le soir, vers sept heures, alors qu'elle dînait avec ses parents à la lueur d'une bougie derrière leurs fenêtres occultées, on tambourina à la porte. Cela arrivait souvent, mais depuis l'arrestation de son père, la peur les paralysait toujours un instant avant que l'un d'eux ne soulève prudemment un coin de la couverture disposée devant la fenêtre pour jeter un coup d'œil au-dehors.

C'était Jacob. Il n'était pas encore allé chez lui, ayant passé les dernières heures chez les Kramer. Margarete Pohl l'obligea à s'asseoir sur la banquette de la cuisine et mit une assiette de plus sur la table. Jacob regarda Siegmund Pohl.

— Je suis désolé.

Il s'adossa et se passa la main sur le visage.

— Pour votre arrestation, je veux dire. Kramer vient de me l'apprendre.

Therese était étonnée. À part Wilhelm, personne au village n'en avait jamais parlé. Puis Jacob leur parla de Leonard.

Ils étaient vingt-cinq à leur arrivée au camp. Dans le train, ils avaient fait connaissance avec certains de leurs camarades. Beaucoup d'entre eux désiraient, tout comme Jacob et Leonard, embrasser une carrière d'officier.

Dès le premier jour, le Feldmeister Köbe eut Leonard dans le collimateur. Dans les vestiaires, Köbe se tenait, jambes écartées, à côté des hommes qui distribuaient les vêtements de travail et les uniformes. Chaque nouvelle recrue devait défaire sa valise devant lui, sur un comptoir. Leonard avait, comme beaucoup d'autres, emporté des livres, parmi lesquels des recueils de poèmes de Mörike, Goethe et Rilke. Köbe sourit d'un air narquois :

— Voyez-vous ça, un intellectuel dans nos humbles baraques ! Des poèmes !

Il se pencha et dit :

— Tu ne tarderas pas à comprendre que tu n'es pas venu passer des vacances ici. Nous allons faire de toi un homme.

Il prit les recueils de poésie et les posa sur une étagère.

— Tu les récupéreras à la fin, si tu en veux toujours.

Les premiers jours, ils furent constamment en manœuvre. La pelle remplaçait le fusil. Le Feldmeister Köbe prenait un malin plaisir à les obliger à ramper, tôt le matin, sur la place bétonnée et couverte de flaques gelées. La nuit, il les réveillait d'un coup de sifflet. Ils devaient alors revêtir leur uniforme et se rassembler dans la cour. Quand l'uniforme n'était pas impeccablement mis, il leur fallait rester au garde-à-vous pendant une éternité, ramper sous les barbelés du terrain d'entraînement ou grimper encore et encore au mur d'escalade. Le Feldmeister Köbe et le Truppführer Grosse s'en prenaient presque tous les jours à Leonard, le traitant de « cul de péquin[1] » ou d'« intello minable ». Au

---

1. Un péquin est un civil en langage militaire. *(N. d. T.).*

début, Jacob et quelques autres camarades s'en mêlèrent ; ils furent forcés de suivre la « formation spéciale » avec Leonard. Mais comme ils n'arrêtèrent pas pour autant de protester, Köbe changea de tactique. Pour chaque remarque des autres, Leonard devait se soumettre à des « exercices d'endurcissement corporel » supplémentaires.

Ils passaient leurs journées à défricher un couloir dans la forêt, déterrant des souches et des racines d'arbres. Quand ils rentraient éreintés à la caserne, l'impitoyable entraînement commençait. Köbe appelait cela, d'une voix débordante de sarcasme, « préparer les candidats officiers à leurs futures tâches ». Leonard avait déjà fait deux malaises et avait été transporté à l'infirmerie.

Le regard vide, Jacob fixait la table comme s'il revoyait ces images sur sa surface usée. Parfois, il regardait les Pohl d'un air hagard, comme s'il ne croyait pas lui-même ce qu'il racontait ; comme s'il prenait tout juste conscience de la monstruosité de tout cela. Puis il se mit à pleurer comme un enfant.

— Je ne comprends pas. Nous sommes pourtant de bons nationaux-socialistes et de fidèles partisans du Führer.

À la fin des années 1970, Therese avait repensé à cette soirée. Elle habitait alors à Londres, et un ami archéologue leur rendait visite. Il leur avait raconté qu'après l'effondrement d'un site de fouilles, il était resté enseveli plus de deux jours sous des décombres. Il avait dit : « Les ressources humaines dépassent notre imagination. Nous sommes capables d'endurer des choses inimaginables quand nous ne pouvons pas faire autrement. Ce n'est qu'ensuite, quand nous en parlons, quand nous essayons de le traduire en mots, que nous pleurons. Parce que c'est alors seulement que ça devient vrai. »

Et elle avait revu Jacob sur la banquette de la cuisine. Il cherchait ses mots et levait des yeux incrédules à la fin de chaque phrase, comme si quelqu'un d'autre racontait son histoire

Le 26 décembre, Therese se rendit chez les Kalder. L'ambiance était pesante, et seule Alwine s'efforçait d'égayer l'atmosphère. On lui avait fait cadeau d'une étole en fourrure, et elle entraîna Therese dans sa chambre. Là, elle se pavana avec excitation devant la glace, l'étole tantôt enroulée autour du cou, tantôt négligemment drapée sur les épaules.

Therese la complimenta d'abord distraitement. Pour la première fois, la joie de vivre d'Alwine lui parut égocentrique et superficielle.

— Comment peux-tu t'intéresser à ce stupide morceau de fourrure ? Leonard t'est donc complètement égal ? lui lança-t-elle sans ménagement.

Alwine éclata en sanglots. L'étole tomba par terre sans qu'elle y prêtât attention, et elle cacha son visage dans ses mains en disant d'une voix à peine compréhensible :

— Mais je ne peux rien faire, Therese. Tu ne comprends donc pas ? Je ne peux rien faire !

Therese, prise de honte, s'assit à côté d'Alwine sur le lit.

Des années plus tard, Therese dit à son second mari que cet après-midi-là, elle avait compris pour la première fois que l'insouciance d'Alwine était une sorte de fuite.

« Alwine ne cessait de fuir. Elle ne pouvait survivre qu'en restant à la surface des choses. »

Avant qu'ils ne se quittent, Therese échangea encore quelques mots avec Jacob à la porte de la maison.

— Mon père va essayer de sortir Leonard de là, dit-il d'une voix atone.

Puis il haussa les épaules d'un air désarmé et osa un bref sourire sans joie.

— Il y arrivera.

Therese ne lui posa aucune question au sujet de Hanna. Aux yeux de tous, Hanna passait au second plan,

99

après le sort de Leonard. Ce n'est que quelques jours plus tard, alors que Jacob était déjà reparti, qu'elle apprit qu'il n'avait vu Hanna qu'une seule fois au cours de cette permission, et qu'ils s'étaient disputés. « Leonard, Leonard, Leonard, lui avait dit Hanna en colère, allez, va le retrouver, ton Leonard ! »

16

23 avril 1998

Deux employés de l'entreprise paysagiste Schoofs sonnèrent chez Rita Albers. Sa voiture était là, mais comme rien ne bougeait dans la maison, ils sonnèrent encore, puis se rendirent dans le jardin. Ils avaient pour mission d'arpenter l'emplacement d'un puits entre le potager et la terrasse et de vérifier la nature du sol. Ils observaient les lieux quand l'un d'eux remarqua que la porte de la terrasse était entrouverte. Ils gravirent les marches et se mirent à appeler :

— Bonjour ! Madame Albers ! Vous êtes là ?

Ils virent le désordre avant même d'atteindre la porte. Des classeurs et des documents étaient éparpillés sur le sol, près d'une flaque d'eau et des tessons d'un grand vase qui brillaient au soleil. Des tulipes rouges et jaunes dont les pétales se fanaient déjà apportaient des touches de couleur à cette absurde nature morte.

— Oh, merde !

Le plus jeune des hommes enfouit profondément ses mains dans les poches de sa salopette pendant que le plus âgé criait encore avec insistance, comme pour la mettre en garde :

— Madame Albers !

Ils hésitèrent un instant, puis traversèrent rapidement la pièce. Ils trouvèrent Rita Albers dans la cuisine. Elle était assise sur l'une des chaises beiges, la tête reposant sur la table, comme si elle s'était écroulée de fatigue ou avait trop bu. Ses cheveux étaient rouges et collés, et sur son siège séchaient des coulures écarlates ressemblant à de la peinture à l'huile.

Ils restèrent figés quelques secondes, puis le plus âgé des deux retourna dans la pièce saccagée et dénicha le téléphone sous l'un des bureaux.

Karl van den Boom, de la police de Kranenburg, fut le premier à arriver sur les lieux et informa ses collègues de la brigade criminelle de Kalkar.

— Ce n'est pas beau à voir, dit-il dans l'émetteur-récepteur de la voiture de patrouille, pas beau du tout, il vaudrait mieux que vous veniez examiner ça.

Il écouta patiemment avant de répondre avec calme :

— Bien sûr qu'elle est morte, mon vieux. Tu crois que je t'appelle parce qu'elle danse nue dans son jardin ?

Il retourna dans la maison en passant par la terrasse et observa attentivement les dégâts depuis la porte. Ensuite, il se rendit avec les deux jardiniers devant la maison et prit leurs dépositions, adossé à la voiture de patrouille. Il voulut savoir à quoi ils avaient touché.

— Seulement le téléphone, dit le plus âgé. Et, oui… un ou deux papiers pendant que je le cherchais.

— Et moi l'évier. Je m'y suis appuyé parce que… Bon sang ! Je n'en croyais pas mes yeux.

Van den Boom hochait la tête, entrecoupait leurs propos de petits « hmhm » compréhensifs et prenait des notes en attendant ses collègues du département des homicides. Il avait espéré que Manfred Steiner ferait partie de l'équipe, mais quand ils arrivèrent, c'est le jeune Brand, qui mesurait deux mètres et auquel il venait de parler, qui descendit de voiture. Karl van den Boom les regarda sécuriser un large périmètre autour de la scène de crime et enfiler des gants en latex et des combinaisons blanches. Quand il entendit les premiers flashs crépiter dans la maison, il pensa que Rita Albers était elle-même devenue un bon article et que c'était là sa dernière séance photo. Il se souvint aussi que, la veille, elle avait été très pressée, et que les gens pressés arrivaient toujours bien plus vite à leur propre fin.

Deux heures plus tard, alors qu'on emportait Rita Albers dans un cercueil en PVC, Karl van den Boom monta dans sa voiture et se rendit à Kleve. Le dossier Peters se trouvait sur le siège passager. Il fallait qu'il fût disponible le lendemain aux archives de la police quand il informerait ses collègues que Rita Albers s'intéressait à cet ancien cas de disparition.

17

23 avril 1998

Therese Mende écrivait du courrier dans son bureau quand le téléphone sonna. C'était Hanna.

— Albers est morte.

Puis elle se tut. La pièce se trouvait au premier étage, et de là, Therese pouvait voir le terrain voisin et sa piscine aux angles ornés de quatre angelots kitsch qui versaient de l'eau dans le bassin avec une amphore.

— Comment ? demanda-t-elle au bout de quelques secondes en s'appuyant lourdement contre le rebord de fenêtre.

— On dit qu'elle a été tuée d'un coup sur la tête.

Therese entendit Hanna prendre une profonde inspiration.

— Paul n'aurait jamais dû louer la maison du gardien. Le père doit se retourner dans sa tombe.

Les pensées de Therese se bousculaient. Elle n'entendit pas ces dernières phrases.

— Hanna, sais-tu si cette femme travaillait seule à cette histoire ?

Hanna n'hésita que brièvement avant de répondre :

— Je crois bien que oui. Oui, j'en suis sûre. C'était son genre.

Therese sentit la tension des derniers jours se dissiper.

— Tiens-moi au courant, s'il te plaît, dit-elle pour finir.

Un vent léger frôla les bougainvilliers mauve pâle qui escaladaient les murs de la propriété. Therese eut l'impression d'entendre un léger bruissement.

Autrefois aussi, le vent soufflait, mais il était glacial.

Février 1940

Des officiers SS prenaient leurs quartiers dans l'hôtel de ville, dans le bâtiment du parti national-socialiste et même au presbytère. Il arrivait de plus en plus de soldats, certains furent logés chez des particuliers. Le père de Therese était sûr que l'Allemagne se préparait à envahir la Hollande.

Elle revit Leonard par un après-midi où les rafales de vent chassaient d'épais nuages dans le ciel. Une odeur d'humidité froide emplissait l'air et imprégnait les rues, les maisons et les vêtements.

Elle ne le reconnut pas tout de suite quand il vint à sa rencontre. Il avait remonté le col de sa veste en laine bleu foncé, et enroulé une écharpe protectrice autour de son nez et de sa bouche. Ils avaient failli se croiser sans se voir quand il s'arrêta.

— Therese ?

C'est sa voix qu'elle reconnut. Il ôta son écharpe. Ses pommettes saillantes lui avaient toujours donné un air émacié, mais à présent, elles dominaient son visage au grand front. Ses yeux, sa bouche et son menton se faisaient fuyants derrière cette ossature proéminente.

Therese laissa tomber son sac et prit spontanément Leonard dans ses bras, en pleine rue. Plus tard, il lui suffirait de se souvenir de ce moment pour sentir son corps décharné sous ses mains. Bien que Leonard fût plus grand qu'elle, elle avait eu l'impression de tenir un oiseau frêle entre ses mains.

— J'ai été réformé, dit-il d'une voix atone. Je ne pourrai pas intégrer l'école des officiers. Je suis inapte !

Il avait souligné le mot « inapte » avec hostilité, une hostilité tournée contre lui-même et qui faisait de lui un raté.

Quelques jours auparavant, Therese avait reçu une lettre de Jacob. Il avait relaté ainsi ce qui s'était passé au camp :

...Quand je suis revenu ici après la permission de Noël, certains de mes camarades avaient déjà pris soin de faire transférer Leonard à l'infirmerie. Ils étaient arrivés le midi et l'avaient trouvé alité avec une forte fièvre.

Il souffre d'une pneumonie aiguë. Quand j'ai rassemblé ses affaires, j'ai vu que certains de ses vêtements étaient trempés. Holger Becker – qui avait lui aussi été privé de permission à Noël – raconta qu'aussitôt après notre départ, Köbe avait ordonné à Leonard de s'entraîner. Puis, comme il estimait que Leonard n'en faisait pas assez, il l'avait aspergé d'un seau d'eau, par ce froid glacial, et forcé à poursuivre l'entraînement dans ses vêtements trempés. Après ça, nous n'avons guère eu le cœur à fêter la Saint-Sylvestre, mais le 5 janvier, tous les candidats officiers durent se présenter à une inspection sanitaire surprise. Leonard fut réformé sur-le-champ et transporté, en tant que civil, dans un hôpital de Münster. Comme le médecin ne s'est guère intéressé à nous autres, nous avons eu l'impression qu'il était venu avec l'ordre de transfert de Leonard déjà tout prêt. Mon père a donc tenu parole.

De temps en temps, Therese et Leonard faisaient de longues promenades ensemble. Leonard ne parlait jamais de sa vie au camp de travail du Reich, mais tout ce qu'il faisait et disait portait la marque de cette expérience. Depuis son retour, sa tristesse ne diminuait pas. Ils continuaient à rire et à plaisanter ensemble, mais il ne retrouva jamais cette belle confiance en soi qui l'animait le jour où il avait pris le train avec Jacob.

Köbe, Therese ne le comprit que des années plus tard, avait anéanti à jamais l'idée que Leonard avait de l'humanité. Tout autre que lui aurait alors abordé le monde avec méfiance, mais Leonard en fut incapable. Il s'en détourna, et on se sentait parfois désespérément seul quand on marchait à ses côtés.

Therese ne s'était plus rendue au mirador depuis des mois. La maison des Pohl était continuellement surveillée, et en mai, les prédictions de son père se réalisèrent. La Hollande capitula après cinq jours à peine. L'Allemagne était grisée par la victoire. Therese avait du mal à résister à cette ivresse contagieuse. Les actualités montraient les soldats allemands dans les territoires occupés ; le Danemark, la Norvège, la Hollande et la Belgique avaient capitulé, et des troupes allemandes étaient à Paris. Sur les écrans des salles de cinéma, on voyait des soldats radieux prendre des poses victorieuses et être accueillis avec enthousiasme dans tous les pays.

Leonard passa tout l'été dans sa famille, pour se rétablir. Par la suite, il devait étudier le droit à Cologne, conformément au désir de ses parents. Therese lui rendait souvent visite. Quand le temps le permettait, elle le retrouvait dans le jardin des Kramer, en train de lire. Il se levait souvent à l'aube et partait randonner seul pendant des heures dans le Reichswald. Quand il était plongé dans un livre ou fatigué au retour d'une randonnée, Therese avait parfois l'impression de retrouver le Leonard d'autrefois. C'était sans doute l'effet du bonheur silencieux éprouvé au contact des livres, de l'émotion procurée par les poèmes et des journées passées dans la nature, loin de ses semblables.

Un dimanche de juin, Therese se rendit avec Leonard et Wilhelm chez les Kalder. Alwine et elle avaient obtenu leur baccalauréat. Ils avaient décidé de passer l'après-midi ensemble, et Alwine les avait invités pour le café.

Ils étaient dans la cour, installés sur des bancs autour d'une table carrée au plateau de bois brut recouvert d'une nappe. Therese servait le café, et Alwine apportait le gâteau quand Hanna vint les rejoindre. Ils l'accueillirent avec joie.

Ils s'entretinrent de choses et d'autres, et Leonard leur fit part de ce que Jacob, qui avait commencé sa formation d'officier, avait écrit dans sa dernière lettre.

— Vous vous écrivez souvent ? demanda Hanna presque incidemment.

— Toutes les semaines, répondit-il spontanément.

Hanna tressaillit comme si on venait de la frapper. Il y eut un bref silence, puis cette fragile digue se rompit. Wilhelm se leva d'un bond et demanda en hurlant à Leonard s'il se rendait compte de ce qu'il faisait depuis des semaines.

— Tu t'interposes entre Jacob et Hanna, et entre moi et Therese !

À ces mots, sa voix se brisa et prit un ton presque larmoyant.

Les autres images que Therese gardait de cet après-midi étaient sans couleur. Les visages de ses amis avaient pris un teint de cire, et même les boutons rouges du rosier qui grimpait au mur de la maison étaient pâles et translucides.

Leonard qui regardait Wilhelm d'un air incrédule. Hanna qui se leva d'un bond et s'enfuit. Et Alwine. Alwine qui regarda tour à tour Therese et Wilhelm d'un air incrédule. Alwine qui se détourna comme au ralenti et disparut dans la maison.

Plus tard, Therese se demanderait souvent si tout avait commencé au cours de cet après-midi-là ou si une espèce de fatalité les poursuivait depuis des années, depuis ce jour de leur enfance, peut-être, où ils s'étaient rendus ensemble à l'école pour la première fois.

Ce dimanche de juin, Wilhelm la raccompagna à Kranenburg, et elle lui avoua qu'elle ne l'aimait pas. Il marchait en silence à côté d'elle, les mains enfouies dans ses poches, et elle fut soulagée de le voir prendre les choses aussi sereinement.

Trois semaines plus tard, Jacob vint en permission, et un soir, il alla trouver Hanna et lui dit la même chose, sûrement en le formulant avec plus de tact et d'empathie que Therese n'en avait eu pour Wilhelm. C'est au cours de cet été que l'amour non partagé se chargea de toute sa force destructrice.

18

23 avril 1998

Quand Robert Lubisch prit son service à l'hôpital, à huit heures du matin, son séjour à Kranenburg, ses conversations avec Rita Albers et ses craintes lui parurent irréelles.

Le mercredi soir, elle lui avait réservé un accueil maussade. Dès le seuil de la porte, elle lui annonça qu'elle écrirait cet article quoi qu'il arrive, et que personne ne l'en empêcherait. Puis elle alla dans la cuisine en laissant la porte ouverte, ce qu'il vit comme une invitation. Lorsqu'il lui demanda combien elle comptait tirer de cette histoire, elle rit et dit :

— Hier encore, ce n'était qu'un petit fait divers local, mais aujourd'hui, c'est différent. Au cours de la journée, le prix est monté en flèche.

Il sursauta, mais sans se laisser impressionner. Il était bien décidé à ne pas partir sans avoir obtenu satisfaction.

Elle lui offrit du thé et ils s'assirent une nouvelle fois à la table de la cuisine. Les gestes de Rita étaient brusques, et elle bougonnait que, contrairement à ce que tout le monde semblait penser, elle ne se laisserait pas acheter. Il songea que, deux jours auparavant, il l'avait trouvée séduisante à cause de sa façon de se mouvoir. Ce n'était plus le cas ce soir. Quand elle s'assit enfin, elle dit :

— L'histoire de votre père ne m'intéresse pas. Et si vous y attachez de l'importance, je peux vous promettre que je ne l'évoquerai pas dans mon article. Nous n'apprendrons jamais si votre père savait ou pas que Peters était encore en vie quand il lui a pris ses papiers, et cela n'a plus aucune importance. Ce sont Wilhelm et Therese Peters qui m'intéressent.

Elle lui dit aussi qu'elle avait retrouvé Therese Peters, que celle-ci s'était remariée sous son nom de jeune fille à Francfort en 1956, et que la disparition de Wilhelm était restée inexpliquée. Tout à son soulagement, Robert Lubisch ne l'écouta plus que d'une oreille distraite. Il en avait fini avec cette histoire.

Sur la route de Hambourg, il avait écouté une œuvre de Ravel pour hautbois, basson et piano en laissant ses pensées vagabonder comme il aimait le faire quand le trafic était fluide. Rita n'écrirait rien au sujet de son père, et Robert était d'autant plus soulagé que la légende du jeune héros malin traversant les turpitudes de la guerre sans peur et sans reproche se remettait en place. Ternir l'image du grand Friedhelm Lubisch ne signifiait rien pour Rita Albers, mais il n'en allait pas de même pour lui, son fils.

Il était minuit passé quand il arriva enfin chez lui. Maren, interprète free-lance, était en déplacement à Bruxelles toute la semaine, et il se coucha immédiatement.

Il était près de midi quand Robert, qui avait terminé ses visites dans le service de pédiatrie et se rendait à la cantine, fut hélé par une infirmière qui essayait de le rattraper :

— Docteur Lubisch, un moment, des policiers vous demandent dans votre bureau.

Robert haussa les sourcils et revint sur ses pas. La police venait régulièrement les voir au sujet d'enfants victimes de maltraitance, mais son service n'en comptait pas pour le moment.

Un homme et une très jeune femme se tenaient dans son bureau. Il leur tendit la main et les regarda d'un air interrogatif. L'homme, qui s'était présenté sous le nom de Söters, demanda :

— Monsieur Lubisch, connaissez-vous une personne du nom de Rita Albers ?

Robert tendit l'oreille en entendant ce nom. Il sonnait faux et déplacé dans son bureau.

— Oui, répondit-il innocemment. C'est une journaliste de Kranenburg.

Il s'interrompit brièvement.

— Mais pourquoi me demandez-vous cela ?

Söters plissa ses lèvres charnues et humides et répondit par une autre question :

— Quand l'avez-vous vue pour la dernière fois ?

Lubisch sentit la nervosité le gagner, mais il n'aurait pas su dire si cela venait du dégoût que lui inspirait la bouche du policier ou de sa question.

— Hier soir, dit-il franchement. Mais pourquoi ces questions ?

L'enquêtrice, dont il n'avait pas saisi le nom, prit le relais :

— Quelles étaient vos relations ?

— Relations ?

Robert secoua la tête, puis il réalisa qu'elle venait d'utiliser la forme passée.

— Comment ça, *étaient* ?

— Répondez à la question, dit la bouche humide, et Robert Lubisch se sentit curieusement menacé.

— J'ai fait la connaissance de Mme Albers il y a trois jours et je l'ai vue hier soir pour la dernière fois.

— Quand ?

Encore ces lèvres boursouflées et mouillées ; le son avait la brièveté d'un jappement. Soudain, Robert laissa éclater sa colère.

— Écoutez, ça suffit maintenant ! Si vous ne me dites pas de quoi il s'agit, je vous prierais de quitter mon bureau. Vous n'avez pas à me traiter ainsi !

112

Les deux policiers échangèrent un regard.

— Mme Albers est morte, dit la femme. Elle a été tuée hier soir.

Lubisch recula d'un pas, s'appuya contre le rebord de la fenêtre et murmura :

— Mais c'est impossible !

Les policiers le regardèrent patiemment.

— Écoutez, j'ai quitté Mme Albers vers vingt heures, et elle était encore en vie.

Robert s'assit à son bureau et pria les deux policiers de prendre place. Le récit qu'il leur fit était conforme à la vérité. Il évoqua la photo et l'intérêt qu'il lui portait, mais ne souffla mot des papiers d'identité. Rita n'avait-elle pas dit qu'ils étaient sans importance ?

Les policiers lui demandèrent s'il avait remarqué quelque chose de particulier le soir précédent, mais il se souvenait seulement que les gestes de Rita Albers avaient manqué de fluidité.

— Elle m'a dit qu'elle avait retrouvé Therese Peters, se rappela-t-il encore.

La femme sortit un calepin de sa veste, nota quelque chose et demanda :

— Où pouvons-nous trouver cette Mme Peters ?

— Elle ne me l'a pas dit, dit Robert en haussant les épaules.

La femme le regarda avec méfiance et prit une autre note, comme pour conclure.

— Nous allons en informer nos collègues du Rhin inférieur, dit-elle.

Lubisch, qui avait l'esprit ailleurs, crut comprendre qu'elle lui en demandait la permission.

— Oui, oui, faites, acquiesça-t-il en pensant déjà à autre chose. Dites-moi, qu'est-ce qui vous a menés jusqu'à moi ?

L'homme sourit et fit un signe de tête à sa collègue pour lui indiquer qu'elle pouvait en parler. Lubisch se demanda si

113

la bouche de Söters lui plaisait, rouge et nue comme s'il l'avait mordillée jusqu'au sang.

— On a trouvé votre carte de visite dans la poche du pantalon de la morte, dit la femme.

Robert hocha la tête.

— Je la lui ai donnée lors de notre première rencontre, répondit-il.

Söters se leva.

— Tenez-vous à notre disposition, ordonna-t-il à Robert en grognant, puis il fit signe à sa collègue de le suivre.

Arrivée à la porte, celle-ci se retourna encore une fois.

— Avez-vous donné la photo à Mme Albers ? Je veux dire l'original. Ou l'avez-vous encore ?

Robert se leva, alla vers l'armoire et prit la photo de Therese Peters dans la poche de sa veste.

— Pouvons-nous la garder ?

Robert Lubisch hocha la tête. Il était presque heureux de s'en débarrasser. Quand les policiers furent partis, il resta encore un long moment assis. Dans quel pétrin s'était-il fourré ? Rita Albers était-elle morte parce qu'elle avait entrepris des recherches sur cette Peters ? C'était insensé.

Il se leva et se rendit à la cantine. L'arrogance de Rita Albers lui avait certainement valu de nombreux ennemis. Puis il se souvint que chez elle, la police trouverait non seulement la photo, mais aussi tous les documents scannés dans son ordinateur. À la cafétéria, il posa une tasse sous la machine à café et appuya sur le bouton « cappuccino ». Il prétendrait que, sur le coup, cela ne lui avait pas semblé important.

Il prit un sandwich au fromage et s'installa seul à une table. Il était mal à l'aise. « Tenez-vous à notre disposition », avait dit Söters. Le soupçonnait-on de meurtre ? Et si Rita était morte parce qu'il...

19

23 avril 1998

Therese Mende, debout sur la terrasse, regardait les nuages s'accumuler à l'ouest, devenir de plus en plus denses et se diriger vers l'île. Le vent avait fraîchi ; les windsurfeurs débutants étaient tirés vers la plage par un bateau tandis que les plus chevronnés scrutaient le ciel d'un air confiant et équipaient leurs planches de voiles plus petites.

1940-1941

Wilhelm était parti étudier à Stuttgart pour six mois et Therese accomplissait son service du travail à la ferme des Kruse, à Rindern. Les Kruse étaient des gens simples et aimables qui lui offraient souvent, le soir, un pot de lait, un sac de pommes de terre ou des légumes.

Alwine étudiait l'histoire à Cologne. À la suite du fameux après-midi, Therese lui avait écrit pour essayer de lui expliquer qu'elle n'éprouvait rien pour Wilhelm, mais Alwine ne lui avait pas répondu et avait quitté Kranenburg la semaine suivante.

Leonard devait aussi aller étudier à Cologne, mais sa rentrée n'était prévue que pour le semestre d'été. Il passa l'hiver chez lui et donna un coup de main à son père dans le cabinet de Kleve.

Le Hauptsturmführer SS Hollmann gardait Siegmund Pohl à l'œil. Par moments, la surveillance du cabinet était si évidente que les rares patients qui lui restaient fidèles ne pouvaient l'ignorer et n'osaient plus qu'exceptionnellement se présenter chez lui. À partir du mois de septembre, Siegmund Pohl n'ôta plus la pancarte « Fermé » de la fenêtre de son cabinet. Elle ne s'y trouvait auparavant que les dimanches.

À présent, le médecin passait des heures prostré dans la cuisine. Quand il se rendait au café ou allait au marché, le samedi, on l'évitait. Personne ne désirait être vu en sa compagnie. Il était devenu un étranger parmi ses anciens patients et amis.

Fin octobre, Therese et son père étaient assis dans le jardin. Ils pelaient des pommes que la mère mettait en conserve dans la cuisine. C'était une de ces douces journées d'automne dont on garde un souvenir lumineux, une de ces journées où les arbres semblent plus grands. Puis Margarete Pohl vint au jardin et tendit, sans mot dire, une lettre à son mari. Sous la référence, on pouvait lire : *Résiliation du bail de location*, et plus loin : *Le logement étant la propriété de la commune, celle-ci en ayant un besoin urgent, et votre contrat de location prévoyant l'obligation d'ouvrir un cabinet médical, nous nous voyons forcés de vous demander de quitter les lieux à la fin de l'année en cours.*

La lettre était signée Hollmann.

— Eh bien, partons, dit le père.

Therese crut percevoir soulagement et optimisme dans ce mot « partir ». Mais sa mère voulait rester. Elle se rendait désormais tous les jours à l'église et croyait fermement que les choses s'arrangeraient bientôt. Elle disait souvent, animée d'une foi profonde et menaçant du doigt des ennemis invisibles : « Dieu ne tolérera pas ceci plus longtemps. »

Ils cherchèrent en vain un logement pendant tout un mois. Certains propriétaires baissaient les yeux, gênés, et haussaient les épaules d'un air navré. D'autres affichaient leur satisfaction, croisant les bras avec assurance en crachant leur « non ». Un lundi de début décembre – il devenait évident qu'ils ne trouveraient jamais de logement à Kranenburg –, on frappa à la porte. C'était le père de Hanna, Gustav Höver. Le vieil homme, qui devait approcher la soixantaine, grand, solidement charpenté, avait la figure ronde et les joues rouges des Höver. Il refusa la chaise que le père de Therese lui proposa et resta planté au milieu de la cuisine, tirant sa casquette dans ses mains larges comme des battoirs. Il sortit de la poche de sa veste une clef qu'il posa sur la table de la cuisine.

— C'est la clef de la maison du gardien. Vous pouvez y habiter si vous le désirez, docteur.

Puis il s'en alla. Le père de Therese se leva d'un bond pour le suivre, mais Höver l'arrêta d'un geste de la main.

— J'ai honte, dit-il, la tête baissée. Ce qui se passe ici me fait honte.

Ils déménagèrent une semaine plus tard. Hollmann vint en personne inspecter la maison, où tout était emballé. Il tournait autour des caisses et des meubles, et il fut bientôt clair qu'il serait lui-même le prochain locataire.

Ils firent les premiers voyages avec une charrette à bras, mais ils possédaient trop de meubles, et surtout des meubles trop encombrants. Ils ne pouvaient ni les transporter ni les placer dans la maison du gardien. Hollmann eut un sourire condescendant et leur proposa de les garder.

— Je vous en donnerai un bon prix, dit-il. Vous ne pourrez pas les emporter, de toute façon.

Vers midi – ils arrivaient à peine à faire bouger la lourde armoire en chêne du séjour et n'auraient jamais pu la transporter avec la charrette –, le père était prêt à négocier.

Hollmann désigna d'un geste l'ensemble des possessions des Pohl et leur en offrit une somme dérisoire. La mère pleurait de rage et le menaçait de nouveau de punition divine quand une carriole tractée par des chevaux s'arrêta devant la maison. Gustav Höver entra. Hollmann lui ordonna en hurlant de disparaître immédiatement, mais le vieil homme alla se planter face à lui et dit :

— On charge les meubles sur la carriole.

Il avait prononcé ces mots avec calme, comme si cela allait de soi. Ils firent trois voyages et entreposèrent les meubles les plus lourds et les plus encombrants dans la grange des Höver.

Plus tard, Therese se remémorerait cette scène. À l'époque, elle s'était imaginé que Höver savait quelque chose au sujet de Hollmann. Ce n'est que des années après la guerre qu'elle comprit que la détermination de Höver, sa façon de se tenir et de soutenir le regard de Hollmann étaient des choses auxquelles celui-ci n'était ni habitué ni préparé à réagir.

Dans leur nouvelle maison, ils fêtèrent Noël très simplement. Ils se rendirent à la messe de minuit et parcoururent en pleine tempête de neige, emmitouflés dans des écharpes et des manteaux, les deux kilomètres qui les séparaient du village plongé dans l'obscurité. L'église était bondée, ses fenêtres couvertes de tissu de camouflage. Après la messe, tout le monde se retrouva, comme chaque année, sur la place de l'église pour se serrer la main et se souhaiter un joyeux Noël. Ils étaient tous là : Jacob, Alwine, Hanna, Leonard et Wilhelm, mais ils ne se regroupèrent pas comme les années précédentes. Therese échangea quelques mots avec Jacob et Leonard. La formation de Jacob avait été écourtée, il devait rejoindre le front à la fin de sa permission. Elle vit des larmes dans les yeux de Leonard. Alwine et Wilhelm se tenaient l'un près de l'autre. Hanna ne serra la main d'aucun de ses amis et ne leur souhaita pas non plus de joyeuses fêtes. Quand Jacob se dirigea vers elle, elle quitta la place. Les Pohl rentrèrent en compagnie des Höver. Le petit Paul Höver cheminait entre Therese et Hanna, les parents de Therese et le vieux Höver suivaient quelques pas derrière. Le vent s'était calmé et les flocons tombaient doucement, presque verticalement. Un silence clair et limpide régnait sur les prés et les champs, on n'entendait que le rythme étouffé de leurs pas qui faisaient doucement crisser la neige.

— La façon dont Leo regarde Jacob, c'est pas normal, dit Hanna d'une voix rauque.

Elle continuait de marcher d'un pas régulier et tranquille, comme si elle venait de se parler à elle-même.

— Qu'est-ce que tu veux dire ? demanda Therese.

Mais Hanna secoua la tête d'un air maussade et ne répondit pas.

Quatre semaines plus tard, Therese se rappelait ces mots. Quatre semaines plus tard, elle verrait pour la première fois ce dont un amour fou était capable. De la folie pure !

Therese Mende frissonna. Le vent d'ouest continuait à assembler les nuages et les soufflait vers la baie. L'écume des vagues venait s'écraser contre les rochers et les gouttelettes fêtaient leur courte liberté en dansant avant de retomber dans l'obscurité glauque de la mer. Des windsurfeurs en combinaison de néoprène étaient dans l'eau jusqu'à la taille, tenaient planches et voiles au-dessus de leurs têtes et tentaient de passer la zone de déferlement.

20

23 avril 1998

Le brigadier-chef Karl van den Boom était assis à son bureau. Il avait rapporté le dossier concernant la disparition des Peters et parlé à Mme Jäckel du service de l'état civil. Il nota ce qu'il – ou plutôt ce que Rita Albers – avait découvert, puis il observa ses notes, marmonna quelque chose d'un ton renfrogné et appela la brigade criminelle. Il joignit Brand.

— J'ai oublié de signaler ce matin que Mme Albers est passée ici hier et qu'elle s'intéressait à un cas de disparition ancien, dit van den Boom calmement.

Il écouta son interlocuteur un court instant, les yeux fermés, puis dit :

— Tu as fini, oui ? Bon. Tu veux savoir à quel cas elle s'intéressait ?

Il se tut encore quelques instants, en dessinant des petites figures géométriques sur son sous-main.

— Elle faisait des recherches sur les Peters. L'affaire Wilhelm Peters, qui date de 1950. Le dossier est à Kleve. C'est ce que je lui ai dit, et c'est là que je l'ai envoyée.

Puis il demanda incidemment :

— Vous en êtes où ? Je veux dire, vous avez déjà trouvé quelque chose ? Hm... Hm... Oui. Bon, ben... Salut.

Il raccrocha et écrivit sur une feuille de calepin :

R. Albers trouvé T. Peters ?

Ordinateur volé.

Dr Robert Lubisch, Hambourg.

À dix-huit heures, il ferma le petit poste de police et se rendit à la ferme Höver. Bronko, le chien berger des Höver, n'était pas attaché et vint lui faire la fête quand il descendit de voiture. Il traversa la dépendance à l'arrière, frappa à la porte métallique de la maison et entra. Bronko, qui marchait à côté de lui, voulut se glisser dans la cuisine.

— Laisse le chien dehors, dit Hanna sans lever la tête.

Elle était assise avec Paul à la table de la cuisine et dînait. Le parfum du pain fraîchement cuit et du jambon fumé se mêlait à l'odeur omniprésente et âcre des chevaux. Bronko jeta un regard déçu à Karl lorsque celui-ci le repoussa du pied. Van der Boom portait encore l'uniforme, et Hanna le regarda avec méfiance. Il jeta un coup d'œil à ses vêtements et secoua la tête.

— Non, non, je ne suis pas en service... Je n'ai simplement pas eu le temps de...

Paul, lui aussi en train de dîner, demanda comme si de rien n'était :

— Qu'est-ce qui t'amène ?

Karl tira l'une des vieilles et lourdes chaises en bois et s'assit.

— Tout d'abord, bon appétit ! Ça sent bon, chez vous !

Hanna se leva, posa une assiette, un verre et un couteau devant van den Boom, puis sortit une bouteille de bière du réfrigérateur.

— Tu n'es pas en service, n'est-ce pas ?

— Non, non.

Van den Boom se servit copieusement sans tarir d'éloges sur le pain frais et chaud et le jambon fumé maison. Ils parlèrent du temps qu'il faisait, et Paul rouspéta contre les lièvres qui dévoraient les jeunes plants de son potager.

— Vous savez ce qui s'est passé ? essaya Karl après un silence un peu plus long.

Paul lui jeta un rapide coup d'œil.

— Tes collègues étaient là.

— Elle était comment ? s'enquit Karl après avoir mastiqué longuement deux bouchées de plus. Cette Albers, je veux dire.

— On n'avait pas affaire à elle, répondit Hanna avant de prendre une gorgée de bière.

— Elle venait parfois nous demander des conseils de jardinage. Elle ne savait pas tailler les arbres fruitiers, et les mulots lui causaient des soucis, ajouta son frère.

Il saisit le jambon d'un air affairé et en coupa quelques tranches qu'il tendit à Karl.

— Oh, volontiers ! Merci.

Un nouveau silence s'installa. Karl n'était pas pressé.

— Dites... Mes collègues m'ont dit qu'Albers s'intéressait à Wilhelm et Therese Peters. Vous vous souvenez d'eux ? Ils ont vécu dans votre maison de gardien, autrefois.

Hanna acquiesça et regarda Karl droit dans les yeux.

— Oui... et alors ?

— Raconte.

Karl but une gorgée de bière et se cala dans son siège.

— C'est des vieilles histoires, dit Hanna en mordant dans son pain.

Karl regarda Paul. Celui-ci repoussa son assiette sur le côté.

— Qu'est-ce que tu veux savoir ?

— Tout.

Paul souffla bruyamment.

— Wilhelm Peters s'est enfui en abandonnant sa femme. C'était au début des années 1950. Quelques semaines plus tard, Therese a disparu aussi.

— Et… est-ce qu'elle vous a donné de ses nouvelles ?

Ils secouèrent tous deux la tête.

— En fait, essaya Karl pour que la conversation ne s'interrompe pas, Albers a retrouvé Mme Peters.

Hanna continuait de le fixer.

— Alors pourquoi tu ne vas pas voir la Peters pour lui poser tes questions ?

Elle se leva et rassembla les assiettes, signifiant clairement que pour elle la conversation était terminée. Karl saisit son verre.

— Est-ce que le nom de Lubisch vous dit quelque chose ?

— C'est qui, ça ? demanda Hanna en continuant à débarrasser la table.

— Un médecin de Hambourg. Les collègues disent que c'est lui qui avait demandé à Rita Albers de se renseigner sur les Peters.

Le frère et la sœur échangèrent un rapide coup d'œil.

— Je me demandais…, reprit Karl. Personne n'est venu vous poser des questions au sujet des Peters, non ?

— Si.

Hanna avait maintenant le dos tourné à la table et chargeait le lave-vaisselle.

— Albers en a posé.

— Et vous lui avez dit quoi ? Vous savez bien que Mme Peters a été soupçonnée de meurtre, à l'époque.

Hanna se tourna et posa les poings sur ses hanches. Ses yeux bleu pâle étincelaient de colère.

— N'importe quoi ! À l'époque, la police a essayé par tous les moyens d'en faire un meurtre et de le lui mettre sur le dos. Mais il n'y avait même pas de cadavre.

Karl fit de son mieux pour cacher sa surprise. Il avait rarement vu Hanna dans cet état et essaya de tirer profit de sa colère.

— Hmm. Je ne sais pas ce qui s'est passé à l'époque, mais une femme vient de mourir, et je crois bien qu'elle est morte parce qu'elle a posé des questions.

Hanna prit la veste qui pendait au dossier de sa chaise et l'enfila.

— Je vais fermer les box des chevaux, dit-elle à son frère comme pour lui ordonner d'en faire autant.

Puis elle sortit par la dépendance.

Paul resta assis, fixant les petites fleurs bleues qui formaient comme une guirlande au centre de la nappe.

— Chez vous, c'était Gerhard qui était chargé de l'affaire, dit-il. Tu devrais peut-être lui parler. C'était un ami de Wilhelm Peters. Ils avaient un passé en commun.

Puis il se leva.

— Attends un peu ; qu'est-ce que tu veux dire ?

Ils sortirent dans la cour.

— Je ne veux rien dire du tout, mais si tu veux mettre ton nez dans de vieilles histoires, autant que tu commences au bon endroit. Interroge donc Gerhard sur les dernières années de la guerre.

Le soir tombait, l'air était doux et printanier. À l'ouest, le ciel s'ornait d'un filet de lumière rouge orangé. Alors qu'ils se tenaient près de la voiture de Karl pour se dire au revoir, ils jetèrent, comme une conclusion, un coup d'œil à la petite maison à l'orée du bois et se figèrent. L'une des fenêtres était brillamment éclairée.

21

23 avril 1998

Lorsque Therese se rappelait l'année 1941, elle se souvenait avant tout des derniers jours avec Leonard.

L'hiver 1940-1941 avait été l'un des plus froids, et le 14 février, un vendredi, fut tellement glacial qu'elle s'était noué une écharpe autour du nez et de la bouche. Elle revenait à bicyclette de la ferme des Kruse. Les dernières lueurs du jour dessinaient une ligne violette au-dessus de la Hollande. Quand elle descendit de vélo devant chez les Kramer, son écharpe, rendue humide par son haleine, était durcie par le froid et collait à ses joues. Mme Kruse lui avait offert un panier de pommes d'hiver et Therese voulait en donner quelques-unes aux Kramer. Mme Kramer lui ouvrit. Leonard, qui était d'humeur joyeuse, lui proposa du thé. Alwine avait écrit pour l'informer qu'elle lui avait déjà trouvé une chambre à Cologne pour le 1er mars. Il comptait s'y rendre en train le lendemain pour signer le contrat de location.

Therese, qui espérait toujours que la rancœur d'Alwine envers elle se serait adoucie, demanda :

— Qu'est-ce qu'elle écrit ?

Leonard lui posa la main sur le bras et lui dit :

— Je lui expliquerai tout ça une fois de plus quand je serai à Cologne. Tu sais bien qu'elle est têtue. Laisse-lui encore un peu de temps.

Quand la sonnette retentit, Leonard se leva et cria à sa mère qui s'affairait dans la cuisine :

— J'y vais.

Aujourd'hui encore, elle l'entendait prononcer cette phrase sur le ton sérieux mais candide qui était le sien. Quand il avait quitté la pièce, elle s'était sentie triste et avait pensé : bientôt, Leonard sera parti aussi. Et elle l'avait imaginé déambulant dans les rues de la grande ville avec Alwine.

Une épaisse couche nuageuse couvrait à présent la baie majorquine. Les petites voiles colorées des windsurfeurs dansaient sur la mer et Therese Mende se réfugia dans la maison, car la fraîcheur devenait désagréable. Dans le séjour, elle fut prise d'un de ces petits vertiges dont elle souffrait souvent ces derniers temps. Elle ôta ses chaussures et s'allongea sur le sofa.

Therese se souvenait du tumulte des voix ; elle entendit la mère de Leonard courir vers le vestibule et crier : « Non ! » et « Mais pourquoi ? ».

Elle était allée dans le couloir. Deux hommes en costume s'y tenaient, l'un d'eux avait saisi Leonard par le bras et l'autre disait :

— Ne faites pas de difficultés.

Puis ils traînèrent Leonard vers une voiture garée au bord de la rue. Mme Kramer arracha son manteau et celui de Leonard du portemanteau, puis elle se lança à leur poursuite dans l'obscurité.

— Je viens avec vous, ! cria-t-elle.

Mais l'un des hommes la repoussa brutalement. Elle chancela, se rattrapa et brandit le manteau de Leonard.

— Son manteau !

Elle se précipita de nouveau vers la voiture.

— S'il vous plaît, il lui faut son manteau.

Mais la portière claqua et la voiture démarra.

Therese se tenait près de Mme Kramer, au bout de l'allée. Les feux arrière du véhicule avaient disparu depuis longtemps et le bruit du moteur s'était tu. La rue déserte s'ouvrait sur une obscurité qui semblait désormais encore plus profonde, et Mme Kramer serrait le manteau de Leonard contre elle en caressant le tissu de laine tendrement, comme s'il enveloppait son fils.

C'est seulement une fois de retour dans la maison qu'elle sembla se rendre compte qu'il ne s'agissait que de son manteau et s'effondra sur le canapé en pleurant. Therese tenta de la calmer :

— C'est un malentendu.

Mais alors qu'elle prononçait ces mots, elle sentit un étau se resserrer autour de sa poitrine et éprouva une peur indéfinissable, sans commune mesure avec un simple malentendu.

Therese courut dans l'entrée et appela le père de Leonard à son cabinet de Kleve. Puis elles attendirent. Combien de temps restèrent-elles assises ainsi, en silence ? Dix minutes ? Trente ? Des heures ? Elle gardait en mémoire une image où tout était comme figé, une image gravée dans sa tête telle une photo, et comme sur toute photo, le temps s'était arrêté. Seule la poitrine de Mme Kramer se soulevait sous sa respiration tremblante.

Quand elles entendirent la voiture de M. Kramer, elles se précipitèrent toutes les deux vers la porte d'entrée. Il se tenait sur l'allée dallée, à quelques pas de la porte. Sa clef à la main, il jeta un bref regard à sa femme, secoua la tête et baissa les yeux. Il ne portait pas de chapeau, et son manteau était sale.

Ils ne lui avaient pas dit ce que l'on reprochait à Leonard. Quand il avait fait valoir ses droits, signifiant qu'il agissait en

127

qualité d'avocat de son fils, ils l'avaient empoigné et jeté dehors. Il était tombé. Lundi, avaient-ils dit, lundi le procureur serait là, et il pourrait alors revenir. Il avait pris sa voiture, était retourné à son bureau et avait appelé le domicile du procureur. Une servante avait décroché, lui avait demandé de patienter et était revenue lui dire : « M. le procureur n'est pas joignable. Toute la fin de semaine. »

Mme Kramer prit le manteau de son mari, se rendit dans la cuisine et essaya de nettoyer les taches de boue avec un torchon. Elle frottait la laine noire sans lever les yeux, avec application, comme si, en faisant disparaître la saleté, elle pouvait effacer jusqu'au souvenir de cette journée.

Sur le trajet du retour, les larmes aveuglaient Therese. Le froid lui brûlait les joues, et pourtant, elle grelottait d'une manière inconnue jusque-là. Ce froid-là ne venait pas de l'extérieur. Il venait de son cœur, qui diffusait un fluide glacial dans sa tête, ses mains et ses pieds.

Elle n'apprit que le lundi soir ce que l'on reprochait à Leonard. On l'accusait de *perversion homosexuelle*. « Sur indication de la population », avait-on annoncé à M. Kramer.

Avait-elle déjà pensé à Hanna auparavant, ou n'avait-elle commencé à la soupçonner qu'à cause du motif ? Le soir même, elle se rendit chez les Höver. Hanna était dans l'étable et distribuait du fourrage aux vaches. Elle avait noué un foulard sur ses cheveux, et malgré le froid, l'effort avait rougi son joli visage rond. Par-dessus sa robe en laine grossière, elle portait un tablier bleu foncé et un vieux gilet. Pour la première fois, Therese réalisa combien Hanna souffrait et se négligeait depuis que Jacob lui avait dit qu'il ne partageait pas ses sentiments.

— Leonard, tu sais ce qu'on lui reproche ? demanda-t-elle prudemment.

Hanna n'interrompit pas sa tâche, elle continua à mettre du foin dans les mangeoires.

— Sais-tu qui l'a dénoncé ?

— Non, je ne sais pas, lança Hanna, mais il doit bien y avoir une raison. Personne n'affirme des choses pareilles, juste comme ça.

Therese lui saisit fermement le bras.

— Est-ce que tu as… ?

Hanna planta les dents de sa fourche dans le sol et un grattement bref et sec se mêla au son métallique des chaînes qui s'agitaient au cou des vaches.

— Et alors ? rétorqua Hanna, la tête haute. Si ce n'est pas vrai, il n'a rien à craindre.

— Tu veux dire… Leonard et Jacob ? Tu as… ?

Hanna se remit au travail, puis elle hurla soudain :

— Je les ai vus ! Je les ai vus près de l'étang !

Therese entendit la douleur et la colère se fondre dans sa voix qui se brisait.

Elle s'approcha de Hanna et lui murmura :

— Hanna, tu dois y aller et dire que ce n'est pas vrai.

— Jamais ! Jamais ! s'écria Hanna, une lueur de peur dans le regard. Si tu dis quelque chose, mon père me tuera. Mais je ne reviendrai pas dessus. Jamais. C'est la vérité.

Une sonorité, un bourdonnement lointain et étranger s'était superposé au cliquetis des chaînes, et pour la première fois, Therese fut prise de vertige, comme si quelque chose qui l'avait toujours maintenue en équilibre venait de se briser à l'intérieur d'elle.

Elle ne se souvenait plus comment elle était retournée chez elle. Plus tard, elle se retrouva assise sur son lit, incapable de mettre de l'ordre dans ses pensées, sourde et muette de détresse.

Tu ne porteras pas de faux témoignages contre ton prochain. Tu ne tueras pas. Écrasé par le poids de ces commandements, le mot « vérité » s'atrophiait dans sa tête, s'amenuisait en tremblant pour finir par disparaître complètement.

Le lendemain soir, quand elle revint de la ferme Kruse, son père l'accueillit à la porte de leur maison.

— Il s'est passé quelque chose, dit-il à voix basse.

Une faible lumière filtrait de la fenêtre de la cuisine et éclairait la cour. La lune était presque pleine et donnait au visage de son père une étrange teinte cireuse. Avait-elle immédiatement pensé à Leonard ? Elle ne le savait plus, mais elle se souvenait qu'elle s'était bouché les oreilles et que son père avait dit d'une voix assourdie :

— Leonard s'est pendu.

Alors elle l'avait frappé en hurlant qu'il ne devait pas dire cela, que ça ne pouvait pas être vrai.

Therese Mende quitta le sofa et alla fermer la porte coulissante de la terrasse. Elle essaya de ne pas prêter attention au bref pincement dans sa poitrine. Le vent avait encore gagné en vigueur et on entendait le grondement de la marée dans la maison. Dans la cuisine, Luisa préparait le dîner en chantonnant.

Leonard avait déchiré sa chemise en bandes régulières et s'était pendu aux barreaux de la fenêtre de sa cellule. Ils avaient exigé des noms, promettant au vieux M. Kramer de faire preuve de clémence s'il dénonçait ceux avec qui il l'avait « fait ». Celui-ci avait supplié à genoux son fils de parler, mais Leonard avait gardé le silence.

Les jours qui suivirent sa mort furent pris dans la glace qui pétrifia la morne plaine, comme figés par le chagrin et l'horreur.

Le pasteur refusa d'enterrer Leonard dans le cimetière. Le père de Therese et M. Kramer l'en conjurèrent, mais il n'en démordit pas. « Un suicidé, et en plus, un de ceux qui… Non, jamais en terre consacrée. » La mère de Therese, qui partageait l'avis du pasteur, passait son temps agenouillée à l'église à prier pour la pauvre âme perdue.

À l'aide d'une pioche, ils creusèrent un trou dans la terre gelée aux abords immédiats du cimetière, près de la haie. M. et Mme Kramer, Therese et son père, Alwine et

Mme Kalder assistèrent à la petite cérémonie toute simple. Jacob était en France et ignorait tout. On avait réussi à joindre Wilhelm à Stuttgart, mais il n'était pas venu.

Ce jour-là, Alwine reparla à Therese pour la première fois.

— Pourquoi Hanna n'est-elle pas venue ? demanda-t-elle.

« Parce que c'est sa faute », voulut dire Therese, mais elle répondit :

— Je ne sais pas.

Elle aurait aussi voulu lui dire : « Reste à côté de moi, parle-moi des jours heureux à Cologne et dis-moi que tout ceci n'est qu'un mauvais rêve. » Mais le vertige qu'elle ressentait la bouleversait et l'empêchait de parler.

Bien des années plus tard, à Londres, alors qu'elle visitait une exposition avec Tillmann, son second mari, une sculpture avait attiré son attention. Elle était faite de bûches de bois calcinées et empilées les unes sur les autres autour d'un élément central invisible, une sorte de noyau qui devait assurer la stabilité de l'ensemble. La sculpture semblait défier les lois de la pesanteur et se dressait bien droite sur son socle de granit. Une petite plaque en laiton portait le nom de l'auteur et le titre de l'œuvre : *Équilibre intérieur.*

Elle avait alors de nouveau ressenti ce vertige et compris qu'à l'époque, elle avait perdu la foi dans les simples préceptes catholiques de son enfance.

22

23 avril 1998

Karl van der Boom gara sa voiture le long de la rue, prit son pistolet dans la boîte à gants et parcourut à pied les trois cents mètres de chemin de terre qui le séparaient de la maison du gardien. Alors qu'il s'en approchait, il vit que la fenêtre éclairée, celle qu'ils avaient vue de la ferme des Höver, était celle du bureau de Rita Albers. Il quitta le chemin, fit le tour de la propriété en longeant la haie et ouvrit la petite porte au fond du jardin. Les fleurs des pommiers étaient tombées dans l'herbe et luisaient dans l'obscurité avec l'éclat de la neige fraîche.

Van den Boom déboutonna sa veste trop étroite aux épaules qui l'empêchait de se mouvoir librement. Un instant, l'idée l'effleura que ce qu'il faisait n'était pas très malin et qu'il devrait au moins informer la direction centrale de Kleve de l'endroit où il se trouvait. Puis il se glissa lentement vers le bas de la terrasse et jeta un coup d'œil par-dessus la balustrade. Un homme se tenait, le dos tourné à la fenêtre, près de l'une des étagères, apparemment occupé avec un classeur. Il portait une veste grise et un jean et était particulièrement grand.

Van den Boom se baissa et grommela : « Oh, merde ! »,
puis il fit le tour de la terrasse et rejoignit l'avant de la maison. En chemin, il passa devant la voiture de service bleue
des collègues de la brigade criminelle, garée juste derrière
l'auvent.

Il fourra son arme dans sa poche, reboutonna sa veste
d'uniforme et sonna.

Brand apparut brièvement à la fenêtre de la cuisine, puis
vint ouvrir la porte d'entrée. Karl van den Boom le salua.

— J'ai vu de la lumière et je me suis dit qu'il valait mieux
venir vérifier.

Brand, que tous appelaient « l'échalas », hocha la tête.

— J'ai pensé qu'on avait peut-être loupé quelque chose.

Puis il s'installa au bureau et regarda van den Boom.

— Tu es chez toi, ici, dit-il, songeur. Qu'est-ce que c'est
que cette histoire avec les Peters ? Tu crois que c'est sérieux ?

Karl haussa les épaules.

— Vous avez lu les dossiers ?

L'échalas plissa les paupières et répondit d'un ton acerbe :

— Oui, juste après vous.

Van den Boom soutint son regard et grommela :

— Hmm... Personne ne veut vraiment en parler. J'ai
pensé aller parler à Gerhard... histoire de lui demander
pourquoi ils ont classé le dossier au bout de deux mois à
peine.

Il ne souffla mot de l'allusion faite par Paul Höver.
L'échalas se mit à rire.

— Si quelqu'un doit parler à Gerhard, c'est nous. Toi,
tu te tiens...

Sa phrase fut interrompue par la sonnerie du téléphone.
Au bout de trois sonneries, le répondeur se mit en marche et
une voix d'homme dit :

— Salut Rita, c'est moi. Je voulais savoir où tu en étais
avec les Peters. Appelle-moi...

— Allô, fit l'échalas en décrochant.

Le silence se fit au bout de la ligne. Van den Boom enclencha le haut-parleur et l'échalas fronça les sourcils d'un air bougon en disant :

— Allô, qui est à l'appareil ?

— Ce serait plutôt à moi de vous poser la question ; c'est le numéro de Rita Albers, que je sache, fit-on à l'autre bout après un court silence.

— C'est la police qui vous parle, répondit le jeune policier, et je répète ma question : qui êtes-vous ?

Van den Boom tourna l'appareil vers lui. L'écran affichait : « Thomas ». Il attira l'attention de l'échalas sur le prénom.

— Où est Rita ?

La question sortit du combiné que l'échalas avait reposé sur le sous-main pour prendre une note.

— Mme Albers est morte.

Un « Oh mon Dieu » fusa. La réaction était sincère.

— Écoutez… Thomas ! Donnez-moi votre nom complet et dites-moi quelles étaient vos relations avec Mme Albers.

— A-t-elle… a-t-elle été tuée ?

— Qu'est-ce qui vous fait dire ça ?

On raccrocha. Brand frappa le bureau du plat de la main et se leva d'un bond.

— Quel con ! Il nous prend pour des idiots, ou quoi ?

Il fouilla dans le répertoire électronique du téléphone et recopia le numéro. Quand il voulut rappeler, van den Boom le retint.

— Non, non, grommela-t-il calmement. Accordons-lui quelques minutes de réflexion.

L'échalas voulut répliquer, mais se ravisa. Quelques instants plus tard, le téléphone se remit à sonner, et van den Boom eut un sourire satisfait.

Thomas Köbler s'annonça.

— Écoutez, j'ai un marché à vous proposer. Vous me tenez au courant de toute cette affaire, et moi je vous dis ce que je sais. Je suis à Düsseldorf et pourrais être chez vous dans, disons, une heure et demie.

L'échalas allait se fâcher quand van den Boom s'empara du combiné et dit tranquillement :

— Venez nous rejoindre au poste de police de Kranenburg dans une heure et demie. Cela nous convient tout à fait.

Puis il raccrocha, adressa un sourire bienveillant à son jeune collègue et dit lentement :

— Une chose après l'autre. On va d'abord le rencontrer et se faire une idée. Si tout ça est vraiment lié à cette histoire qui s'est passée il y a près de cinquante ans, on n'en est plus à quelques heures près.

23

23 avril 1998

Au cours de l'après-midi, Robert Lubisch avait appelé son ami, Michael Dollinger. L'avocat était déjà assis à une petite table carrée, dans un coin de chez Brook, avec devant lui une bouteille du meilleur rioja, et étudiait la carte quand Robert entra. Les deux hommes avaient partagé un appartement quelque temps au cours de leurs études, et bien qu'extrêmement différents, ils étaient rapidement devenus amis. Michael était un de ces hommes que l'on ne remarquait pas, et il avait su en tirer profit. À présent, il possédait l'un des plus grands cabinets d'avocats de Hambourg. Sa société ne faisait pas la une des journaux et ne participait pas à des procès retentissants, mais elle bénéficiait de la confiance du gratin de la ville.

Quand Robert se fut installé, Michael posa la carte et dévisagea son ami d'un œil critique.

— Tu as une sale tête, dit-il sans ambages en versant du vin à Robert. Maintenant, raconte-moi tout depuis le début. Je n'ai pas bien compris ce que tu m'as expliqué au téléphone.

Robert eut un petit rire amer.

— Je ne comprends pas moi-même ce qui m'arrive.

Au cours des vingt minutes qui suivirent, le serveur se présenta trois fois à leur table pour prendre la commande et dut repartir bredouille à chaque fois. Robert relatait en toute franchise ce qui lui était arrivé, de sa découverte des papiers à la visite de la police le midi. Quand il eut terminé, Michael poussa la carte vers Robert et dit calmement en allumant un cigarillo :

— Commençons par déjeuner.

Quand ils eurent passé commande, Michael se pencha vers Robert.

— Si j'ai bien compris, tu penses être soupçonné de meurtre ?

Robert avala sa salive. Formulé aussi clairement, cela paraissait abominable, mais c'était exact. Il se passa la main sur le visage.

— Oui. Le policier m'a dit que je devais me tenir à leur disposition.

Michael balaya ces propos d'un revers de la main.

— Ça ne veut rien dire. Quel mobile aurais-tu, voyons ? Je peux m'en occuper, mais je ne pense pas que tu aies de souci à te faire.

Il regarda Robert amicalement et lui fit un clin d'œil encourageant.

— Ils vérifient tes faits et gestes parce que tu as proba-blement été le dernier à la voir vivante. C'est normal.

Il marqua une pause un peu plus longue, puis ajouta :

— Mais sais-tu ce que je trouve bien plus intéressant encore ? Pourquoi as-tu soudain voulu arrêter les recherches au sujet de cette femme ?

Robert répondit franchement :

— Parce qu'elle était l'épouse de ce Peters, et pas, comme je l'avais supposé, une ancienne maîtresse de mon père. Je ne voulais pas en savoir plus.

137

Il réfléchit un instant, puis se corrigea.

— En fait, j'ignore ce qui est arrivé autrefois, mais je sais que les choses n'ont pas pu se passer comme mon père me les a racontées.

— Et tu n'es pas curieux ?

Robert secoua la tête.

— Non, dit-il avec véhémence, plus maintenant.

On leur servit l'entrée, qu'ils mangèrent en silence. Robert prêtait l'oreille au tumulte des voix, aux rires étouffés et au tintement des verres du couple qui trinquait à la table voisine.

Il ajouta sans réfléchir :

— Cette histoire me tourmente. Comme tu le sais, je ne me suis jamais bien entendu avec mon père, mais maintenant... En fait, cette histoire de désertion était la seule chose que je savais de sa jeunesse, et quand Rita Albers a découvert que les choses n'avaient pas pu se passer ainsi, alors...

Michael dégustait son roulé au saumon. Comme Robert ne voulait manifestement pas finir sa phrase, il le fit à sa place :

— Tu t'es demandé ce qu'elle découvrirait encore. Ou mieux, tu t'es dit : si le peu que mon père m'a raconté était un mensonge, que m'a-t-il encore caché d'autre ?

Robert prit une profonde inspiration et fit un sourire hésitant à son ami :

— Oui, en gros, c'est ça... Mais alors, je repense au fait que les papiers de ce Peters aient été maculés de sang. De toute évidence, il gisait par terre sur ce champ de bataille, et mon père a peut-être vraiment cru qu'il était mort. Il était alors un jeune soldat terrorisé, décidé à fuir à tout prix. Les choses ont vraiment pu se passer ainsi.

Michael approuva.

— Bien sûr que les choses ont pu se passer ainsi, c'est même vraisemblablement le cas, et ton père n'a absolument rien à voir avec ce qui s'est passé ensuite. D'ailleurs, Rita Albers a dit avoir retrouvé Therese Peters. Donc, cette femme existe.

Ils continuèrent de déjeuner en silence, puis Michael se cala dans son siège.

— Lors de votre dernière rencontre, elle t'a seulement dit que cette Peters s'était remariée ?

Robert essaya de se remémorer leur entretien ; il revoyait Rita Albers, ses gestes nerveux, agités. Avait-elle peur ? Non, elle était en colère. D'humeur combative.

— Quand je lui ai demandé combien elle comptait tirer de cette histoire, elle m'a répondu : « Hier encore, ce n'était qu'un petit fait divers local, mais au cours de la journée, le prix est monté en flèche. »

Michael s'essuya la bouche avec sa serviette, alluma un autre cigarillo et en souffla la fumée avec un petit sifflement.

— Ça, c'est plutôt intéressant.

Robert hocha la tête d'un air concentré.

— Et après, je crois qu'elle a dit que Therese Peters s'appelait Pohl, ou Pohle, de son nom de jeune fille, et qu'elle s'était remariée sous ce nom-là. J'espère que mes souvenirs sont bons, mais... elle a parlé de 1956. 1956 à Francfort.

Michael leva les sourcils.

— Ça peut se trouver.

Robert leva les mains en signe de dénégation. Michael souffla bruyamment.

— Bon sang, Robert, tu sais aussi bien que moi que si tu n'éclaircis pas ça maintenant, le doute te tourmentera jusqu'à la fin de ta vie. Je ne suis pas un journaliste avide de bonnes histoires, mais ton ami, et qui plus est, ton avocat. Réfléchis au moins à ce que je viens de te dire.

Il fit un signe au serveur et ils commandèrent des expressos.

Alors Robert se souvint du grand sentiment de libération éprouvé après la vente de la maison familiale. C'était à peine quelques mois auparavant. « J'ai tiré un trait, avait-il dit à Maren. Un trait tardif, mais définitif. » Et voilà que son père le préoccupait plus que jamais, voilà même qu'il cherchait à le protéger.

— D'accord, dit-il finalement, renseigne-toi.

24

1941-1942

Au printemps, les parents de Leonard allèrent s'installer dans leur famille du nord de l'Allemagne, et pour Therese, ce fut comme si les derniers témoins de l'existence de leur fils venaient de partir. Il lui semblait parfois que Leonard était enterré plus profondément que les autres morts, et les branches bourgeonnantes de la haie recouvrirent bientôt la petite croix.

Alwine avait quitté l'internat à la demande de ses parents. Sa mère était débordée par la gestion de la ferme et avait besoin de son aide. Therese avait terminé sa période de travail obligatoire et trouvé un emploi dans les bureaux de l'usine de chaussures Hoffmann. Wilhelm aussi était de retour ; il portait à présent l'uniforme des SS et accompagnait Hollmann dans tous ses déplacements. On le rencontrait souvent chez les Kalder.

Therese voyait de nouveau régulièrement Alwine et prenait soin d'éviter Wilhelm. Bien qu'Alwine eût recouvré son insouciance d'antan et qu'elles rient souvent ensemble, elles ne purent jamais retrouver la confiance d'autrefois. Elles ne parlaient jamais de Wilhelm ni de Leo. Ce n'est que par un dimanche pluvieux de mai – Jacob avait annoncé qu'il viendrait pour une courte permission –, alors qu'elles se tenaient à l'une des fenêtres du petit salon de la maison des Kalder, qu'Alwine dit :

— Jacob n'est pas au courant.

Therese la regarda, incrédule.

— Jacob ne sait pas que Leonard est mort ?

— Si bien sûr, ça, il le sait, dit Alwine en évitant son regard. Mais il ne sait pas l'autre chose.

— Mais que lui avez-vous... ?

— Qu'il s'est suicidé, dit Alwine d'un air buté en prenant la main de Therese. Therese, ça ne rendrait pas la vie à Leo, et Jacob pourrait... Tu sais bien comment il est. Mère a peur qu'il se mette en difficulté, et je t'en prie – en son nom à elle, aussi –, ne lui dis pas que ça s'est passé en prison.

Elle sourit.

— Fais-le par amitié pour Leonard, pour que Jacob puisse garder un bon souvenir de lui.

La pluie tombait doucement, toute droite, formant des flaques sur le sable brun et des bulles qui dansaient quelques secondes à leur surface avant d'éclater.

— Mais il nous posera des questions, murmura-t-elle. Il nous demandera où et pourquoi il s'est suicidé.

Alors Alwine lui soumit une histoire parfaitement préparée. Leonard s'était pendu chez lui. Il n'avait pas pu reprendre ses études parce qu'il était encore maladif, et ça l'avait rendu dépressif. On ignorait ce que Leonard avait écrit à Jacob, mais on pourrait toujours dire qu'il n'avait pas voulu inquiéter son ami. Alwine chuchota d'un ton de conspirateur :

— J'en ai discuté avec Wilhelm et Hanna. Ils pensent aussi que c'est ce qu'il y a de mieux à faire.

L'instant avait quelque chose d'absurde. Therese regardait fixement par la fenêtre ; il lui semblait voir Leonard au loin, dans les champs, qui disait : « ... Jurons-nous ici et mainte-

142

nant de ne jamais nous perdre de vue et de continuer à être
là les uns pour les autres. » Elle avait ravalé ses larmes, incapable d'expliquer à Alwine à quel point ce mensonge était
perfide sans trahir Hanna, qu'elle entendait hurler dans sa
tête : « Si mon père l'apprend, il me tuera. »

Leonard avait préféré mourir plutôt que de dénoncer
Jacob. Et maintenant, ce mensonge. Il lui fallut quelques
minutes pour comprendre qu'Alwine et sa mère savaient, elles
aussi, ou du moins devinaient qui Leonard avait protégé.

Elle secoua la tête, incrédule, prête à dire : « On ne peut
pas faire ça », mais Alwine la devança :

— Tu ne comprends donc pas ? Jacob fera des bêtises.
Tu sais bien comment il est. Ils vont l'emprisonner, et peut-
être qu'il se fera du mal, lui aussi. C'est ça que tu veux ?

Therese Mende se leva du sofa. La douleur dans la partie
gauche de sa poitrine s'était accentuée. Elle se dirigea vers la
desserte, se versa un peu d'eau et prit une pilule pour le cœur.
Sur la terrasse, la lumière s'alluma. Luisa avait quitté la cuisine
pour aller rassembler les coussins que le vent faisait tomber
des chaises.

D'abord le silence, puis les mensonges. L'un découlait
tout naturellement de l'autre, toujours.

À la maison aussi, l'ambiance avait changé. À présent, sa
mère courait à l'église deux fois par jour et s'éloignait silencieusement de son mari et de sa fille. Elle ne supportait pas
l'isolement de la maison et la vie simple qu'ils y menaient.
Elle parlait de « punition divine » et passait des heures agenouillée dans l'église à implorer le pardon de Dieu. Parfois,
quand elle évoquait la « volonté divine », son père quittait la
maison en colère.

Les préparatifs d'invasion de la Russie battaient leur plein
et la permission de Jacob, qui devait durer une semaine, fut
réduite à deux jours. Il ne vint voir Therese qu'une seule fois,
pour une promenade tardive. Ils partirent le soir à travers prés

et champs, le vert soutenu de l'herbe auquel se mêlait le jaune des pissenlits semblait vouloir panser les plaies de l'hiver. Elle avait du mal à se concentrer et redoutait les questions de son ami. Il était maigre, le visage gris et cerné. Leurs pas les conduisirent tout naturellement au cimetière, et elle sut qu'elle ne pourrait mentir sur la tombe de Leonard.

— Si je te demandais ce qui s'est passé, est-ce que toi, au moins, tu me dirais la vérité ? demanda-t-il.

Voilà qu'il était réapparu, ce mot dont les deux premières syllabes semblaient si pures et si vastes, mais qui finissait par un « té » incisif. Elle hocha la tête, mais il ne demanda rien. Il repoussa les branches de la haie derrière la simple croix de bois et dit :

— Le père de Leo m'a écrit.

Sur le chemin du retour, il ajouta :

— Je me suis porté volontaire pour partir sur le front de l'Est.

Elle ne demanda pas pourquoi. Elle ne voulait pas entendre sa réponse. Dans la cour de la maison du gardien, il l'interrogea :

— Sais-tu qui l'a dénoncé ?

Elle évita son regard. Il leva la tête, regarda en direction de la ferme des Höver.

— Pourquoi lui, pourquoi pas moi ? murmura-t-il.

« Parce qu'elle t'aime, voulut-elle lui répondre, parce qu'elle pensait que Leonard était ce qui empêchait cet amour. » Mais elle se tut. Elle revoyait Hanna dans l'étable, Hanna qui, elle aussi, parlait de vérité. Avant de la quitter, Jacob la prit dans ses bras et lui murmura à l'oreille :

— Prends soin de toi.

Il n'avait pas dit « à bientôt » ou « au revoir ». Elle ne voulut pas entendre la décision qui se cachait derrière ce « prends soin de toi. »

Puis il partit.

Elle le voyait encore partir, la tête baissée, les bras ballants, comme inutiles. Il ne se retourna pas une seule fois.

La nouvelle leur parvint dès septembre. La bouche tremblante de Mme Kalder oscillait entre chagrin et fierté quand on lui tendit le télégramme. ... *Tombé pour le Führer, le peuple et la patrie.* Alors ce mot si inoffensif, « tombé », se mit à l'obséder. Elle ne cessait de voir Jacob marcher sur ce chemin de terre, elle le voyait tomber et se relever, tomber et se relever, tomber.

Des années plus tard, elle pensa que c'était ce télégramme qui avait ôté tout sens à sa mort.

Quand Hanna apprit la nouvelle, elle se mit à hurler comme un animal blessé. Le vieux Höver fit venir le Dr Pohl, parce qu'elle ne cessait de se frapper la tête contre le mur de l'étable et qu'il craignait que sa fille ne fût en train de perdre la raison.

25

23-24 avril 1998

Arrivé au poste de police de Kranenburg, l'échalas s'empressa de composer le numéro de téléphone de Düsseldorf. Il tomba à la rédaction d'un journal, où une jeune femme lui apprit que Thomas Köbler faisait partie de leur équipe, mais qu'il avait quitté le bureau une demi-heure auparavant. Van den Boom entra ce nom dans la base de données de la police, mais le journaliste n'avait pas de casier judiciaire et ne figurait pas dans leurs fichiers. Le jeune collègue de la brigade criminelle passa les deux heures suivantes à jurer et à tourner comme un animal en cage devant le bureau de van den Boom. Van den Boom, quant à lui, avait ôté sa veste et croisé les mains sur son ventre, impassible. Le lendemain, un vendredi, il profiterait de son jour de congé pour tranquillement mener sa petite enquête. Il rendrait d'abord visite à ce Gerhard, puis passerait aux archives municipales. Mme Jäckel lui avait dit qu'elle y avait envoyé Rita Albers. Il aurait bien aimé demander à Brand ce que ce Lubisch venait faire dans cette histoire, mais il préférait appeler la brigade criminelle le lendemain afin de parler à quelqu'un qui serait moins en colère contre lui.

Une heure plus tard, Thomas Köbler ne les avait toujours pas rejoints : il était plus d'une heure du matin et l'échalas pesta contre van den Boom, lui reprochant d'être intervenu sans réfléchir, le traita de flic de province et quitta le poste en claquant bruyamment la porte.

Van den Boom se pencha sur son bureau, prit une feuille et écrivit : *Thomas Köbler, Gerhard* et *archives municipales.* Puis il décida de ne plus attendre, enfila sa veste, éteignit la lampe et sortit sur le parking. La nuit avait fini par fraîchir et il resta un moment à respirer l'air pur et à goûter le silence. Puis il se mit lentement en route. L'appartement qu'il habitait avec ses deux chats, Lilli et Marlen, ne se trouvait qu'à quelques minutes à pied.

Il avait parcouru cinquante mètres quand une voiture s'engouffra dans la rue étroite et le croisa en trombe. Ayant immédiatement reconnu la plaque minéralogique de Düsseldorf, il revint précipitamment sur ses pas. Thomas Köbler s'apprê-tait déjà à remonter dans sa voiture quand van den Boom atteignit enfin le parking.

— Monsieur Köbler ? cria-t-il, essoufflé.

L'homme avait l'air jeune, et van den Boom se demanda s'il l'était vraiment ou si ses cheveux mi-longs et sa veste en jean lui en donnaient seulement l'air.

Köbler s'excusa de son retard : il était resté bloqué pen-dant plus d'une heure sur l'A57 à cause d'un accident. Van den Boom ouvrit la porte du poste et proposa du café à Köbler que la lumière blanche des néons faisait paraître nettement plus âgé. Le journaliste accepta avec reconnais-sance, observa l'homme en face de lui et demanda avec méfiance :

— C'est vous que j'ai eu en ligne tout à l'heure ?

— Moi et mon collègue, acquiesça van den Boom en allumant la machine à café.

Thomas Köbler ne semblait déjà plus s'intéresser à sa question.

— Alors, dit-il en allant droit au but, qu'est-il arrivé à Rita ?

Van den Boom le regarda attentivement.

— Asseyez-vous, dit-il. On va commencer par le commencement.

L'homme ne resta pas deux minutes sur sa chaise ; il se leva d'un bond et se mit à arpenter le bureau comme le faisait l'échalas. À chacun de ses pas, les talons de ses chaussures claquaient sur le carrelage comme une trotteuse de montre trop pressée.

— Je vous l'ai déjà dit au téléphone : je ne vous dirai rien si je n'obtiens rien en échange.

Karl ferma les yeux, excédé, et grommela :

— Je peux vous garantir une chose : ce que vous obtiendrez, c'est des talons usés, si vous continuez à courir comme ça.

Il se passa la main sur le visage ; au petit bruit que fit sa barbe naissante, il sentit la fatigue le gagner d'un coup.

— Comment connaissiez-vous Rita Albers ?

Köbler, qui venait de se rasseoir, haussa les épaules.

— Il y a trois ans, nous avons écrit ensemble un article sur l'assassinat de l'ancien Premier ministre bulgare, et ensuite, nous n'avons plus eu que des contacts sporadiques. Je lui fournis de temps en temps des informations, et réciproquement.

— Et Rita Albers vous a demandé de lui procurer des informations sur Therese Peters ?

Köbler croisa les bras sur sa poitrine.

— Ça ne marche pas comme ça, dit-il avec une assurance feinte. Je veux d'abord savoir un certain nombre de choses.

Van den Boom réfléchit un instant.

— Connaissez-vous l'identité actuelle de Mme Peters ?

Köbler s'entêta à ne pas répondre. Van den Boom soupira.

— Monsieur Köbler, si la mort de Mme Albers a un rapport avec l'affaire Peters, et si vous êtes assez stupide pour commettre la même erreur que cette dame, vous feriez mieux de vous dépêcher de rentrer chez vous. Je suis en poste ici depuis plus de dix-huit ans, et durant tout ce temps, nous n'avons eu que deux décès par overdose et un crime passionnel. Alors s'il vous plaît, allez mourir à Düsseldorf et ne foutez pas mes statistiques en l'air.

Le journaliste le regarda d'un air éberlué et demanda :

— Qu'est-ce qui vous permet d'affirmer que les deux histoires sont liées ?

— Je ne l'affirme pas, répondit Karl en allant chercher deux tasses qu'il posa sur le bureau. Mais bon, je vais faire preuve de bonne volonté. Mme Albers a été tuée et son ordinateur portable, ainsi probablement que des documents, a disparu.

Köbler hocha la tête.

— Et quoi encore ?

Van den Boom attendit. Il poussa le lait et le sucre vers Köbler.

— Voilà, dit-il comme pour conclure. Il est tard et cela fait des heures que j'ai fini mon service. C'est à votre tour, maintenant, de me donner une information, mais si vous refusez de jouer le jeu, je vous propose de finir votre café et de vous remettre en route

Köbler plissa le front. Il tenait sa tasse à deux mains. Van den Boom éteignit d'abord l'ordinateur, puis la machine à café.

— Je reste, dit Köbler fermement. Demain, on pourra sans doute lire dans tous les journaux comment Rita est morte. Ce ne sont pas ces informations dont j'ai besoin.

Van den Boom se rassit.

— À quelles informations pensez-vous ?

— Rita a dû découvrir dans l'histoire de Therese Peters quelque chose d'explosif qui n'a aucun rapport avec son identité actuelle. Et vous, vous savez quelque chose.

Van den Boom était fatigué. Il nota le numéro de la brigade criminelle sur un bout de papier, le tendit au journaliste par-dessus la table et dit tranquillement :

— Contactez-les demain matin.

Il espérait que Köbler tomberait sur Brand. Celui-ci était furieux et ne lâcherait pas prise aussi vite. Après tout, Köbler faisait de la rétention d'information dans une affaire de meurtre.

26

1942-1943

Therese ne voyait Hanna que rarement, et quand elles se croisaient, elles se saluaient brièvement en évitant de se regarder. Elle se rendait de moins en moins souvent chez les Kalder. Wilhelm y était presque tous les jours, et il était évident qu'il le faisait dans l'espoir de la rencontrer. Le Rottenführer SA Theo Gerhard, originaire de Münster, l'accompagnait souvent. C'était un homme grassouillet doté d'une voix forte qui n'allait pas avec son apparence. Dans sa bouche, même une demande polie sonnait comme un ordre.

Alwine aussi remarqua le manège de Wilhelm, et Therese ne manquait jamais de la quitter lorsque la voiture de Wilhelm apparaissait dans la cour ou de rebrousser chemin quand elle y était déjà garée. Elles ne parlaient jamais de la mort de Jacob. Alwine portait le deuil et cherchait à retrouver son insouciance d'antan. Elle rejetait la tête en arrière et fronçait le nez, mais sa gaîté avait désormais quelque chose de théâtral. Parfois, elle disait à brûle-pourpoint : « Tu verras, tout ira bien. » Et, d'un hochement convaincu de la tête, elle dissipait toutes les craintes perçant dans sa voix.

Depuis le début de l'été, le père de Therese travaillait au lazaret de Bedburg-Hau. Il y restait souvent plusieurs jours de suite sans rentrer chez lui.

La nuit, le hurlement des sirènes se mêlait au grondement des bombardiers. À cette époque, ils ne faisaient encore que survoler le Rhin inférieur, cherchant leurs cibles dans la Ruhr où ils larguaient leur charge sur les grandes villes. Therese vit les couleurs de l'été défiler devant ses yeux las, et en septembre, un camion militaire amena au village des prisonniers de guerre russes, de la main-d'œuvre agricole. Quatre hommes furent mis à la disposition du domaine Kalder, et deux pour la ferme Höver. À l'hôtel de ville, Wilhelm, en sa qualité de Scharführer SS, était chargé de l'affectation et de la surveillance des Russes. Il inspectait régulièrement les fermes de la région en compagnie du Rottenführer SA Gerhard. Au village, des affiches interdisaient à la population tout contact avec l'ennemi sous peine de terribles représailles.

Les premiers jours, quand Therese partait pour Kleve tôt le matin, elle voyait les Russes des Höver dans les champs. Ils la suivaient des yeux, et elle se mettait à pédaler plus fort, effrayée.

Au bout d'à peine quelques jours, un samedi soir, le petit Paul vint à la maison en courant :

— Il faut que le docteur vienne. Le Russe est en train de mourir.

Son père prépara sa sacoche et pria Therese de l'accompagner. Dans un réduit, au fond de la grange, on avait poussé deux couchettes étroites contre une paroi de planches. Une lampe à pétrole pendant d'une poutre éclairait faiblement les lieux. Le malade était recroquevillé sur l'une des couchettes ; près de lui, un seau sentait le vomi. M. Pohl le tourna vers lui. Le Russe avait été frappé au visage, son front portait une grande plaie ouverte. Le médecin enleva les couvertures. Le corps maigre était couvert d'ecchymoses.

— Pourquoi a-t-il fait ça ? demanda-t-il après avoir essayé de rassurer le blessé.

La réponse leur parvint du fond du réduit. Ils n'avaient pas remarqué qu'un autre homme s'y tenait, immobile, adossé contre la paroi de planches.

— Il avait de la fièvre, dit-il en sortant de l'obscurité.

Il était grand et maigre, son visage était cerné et pas rasé. Ses cheveux bruns lui arrivaient aux épaules et il flottait dans ses vêtements sales. Dans sa bouche, les mots roulaient, ronds et lourds. Son maintien lui conférait une certaine noblesse qui contrastait avec le reste de son apparence.

Therese Mende regarda sa montre. Il était bien plus de minuit ; Luisa était rentrée depuis longtemps. Le vent avait faibli, remplacé par des trombes d'eau qui perturbaient les détecteurs de mouvement de la terrasse et en allumaient l'éclairage. Elle se leva et regarda la pluie transformer la terrasse en un miroir sur lequel de nouvelles gouttes ne cessaient de s'écraser comme des projectiles.

Était-ce arrivé ce soir-là ? Elle ne s'en souvenait plus. Elle aurait souhaité que l'homme continuât à parler, à former indéfiniment ces mots qui roulaient comme des billes de terre dans ce réduit.

— M. Höver dit que Fedir est malade et qu'il doit se reposer, ajouta-t-il d'un air concentré. Pas travailler.

Elle eut honte d'avoir pensé que c'était Höver qui avait mis Fedir dans cet état, et elle vit que son père était lui aussi soulagé.

— M. Höver était avec moi dans champs. Peters et Gerhard sont arrivés. Hanna est venue nous chercher.

Puis il se tut et retourna dans la partie obscure du réduit. Alors Therese pensa : « Ce n'est pas Wilhelm qui a fait ça. C'est Gerhard. »

Son père l'envoya à la ferme.

— De l'eau chaude, dit-il, et quelque chose qui pourra servir de bandage.

Hanna était dans la cuisine, elle avait fait bouillir de l'eau et déchiré un drap en bandes égales.

— Il vous faut autre chose ? demanda-t-elle, et l'aide qu'elle proposait démentait la rudesse de son ton.

Elle ne leva les yeux qu'une fois ; elle serrait les dents pour cacher le tremblement de sa mâchoire inférieure.

Therese aida son père à soigner Fedir, qui ne cessait de murmurer « Jurij » et de saisir la main de son ami. Jurij. À deux reprises, elle se tint tout près de lui. Il sentait fort, la sueur âcre, la terre et l'automne.

Le père lui demanda pourquoi il parlait si bien l'allemand. Il dit que sa mère était issue d'une famille d'immigrés allemands et qu'elle le lui avait appris. Therese crut voir un léger sourire sur ses lèvres. Il dit encore qu'il avait été étudiant en architecture, et on aurait cru qu'il parlait d'une autre vie.

— Fedir n'a que… dix et sept ans, expliqua-t-il doucement.

Et Therese se réjouit de l'entendre prononcer ce chiffre d'une manière si étrange et si juste à la fois.

Hanna apporta une assiette de soupe aux choux, la posa sans un mot sur le coffre en bois et se tourna pour repartir.

Le Dr Pohl la retint.

— Hanna, où est ton père ?

Hanna se tourna et hésita.

— Il voulait aller à l'hôtel de ville, dit-elle d'une voix atone. Puis elle regarda Jurij et cria :

— Il faut ramener les vaches au pâturage et mettre les pommes de terre en sacs !

Sa voix se fit stridente.

— Je peux pas faire tout toute seule ! hurla-t-elle en s'enfuyant vers la maison.

Jurij se mit immédiatement au travail. Therese fit manger la soupe à Fedir, et le père alla rejoindre Hanna dans la maison. Un peu plus tard, il prit la direction de l'hôtel de ville, mais le vieux Höver rentrait déjà. Celui-ci lui dit laconiquement, comme à son habitude :

— Ça n'arrivera plus. Plus chez moi, en tout cas.

Ce n'est que bien des années plus tard que Therese apprit pourquoi le vieux Höver avait pu être aussi affirmatif.

Fedir avait une forte fièvre, il fallait renouveler les compresses de ses mollets toutes les heures, et quelqu'un devait lui faire absorber suffisamment de liquide. Höver et le père le transportèrent jusqu'à la maison du gardien sur une charrette à bras. La mère de Therese protesta en gémissant :

— Ils vont tous nous mettre en prison.

Pour la première fois, Therese entendit son père rabrouer sa mère d'un air irrité. Le vieux Höver, qui se tenait de nouveau dans leur cuisine, sa casquette entre les mains, lui dit avec déférence :

— Madame, je vous promets qu'il n'arrivera rien. D'ailleurs, ce jeune homme ne restera ici que tant qu'il aura de la fièvre.

Fedir resta, et la mère de Therese s'occupa de lui. Elle le fit d'abord avec réticence, mais ses craintes disparurent comme par enchantement quand elle découvrit la petite croix qu'il cachait au creux de sa main gauche.

Wilhelm continua d'inspecter de temps en temps la ferme des Höver, mais à présent, il venait sans Gerhard. Il demandait à Hanna ou au vieux M. Höver si tout était en ordre puis repartait. Il ne s'aventura plus dans le réduit de la grange.

Le soir, Jurij venait rendre visite à Fedir, et après le travail, sur son vélo, Therese se dépêchait de rentrer pour ne pas le rater. Quand Jurij les quittait, elle sortait avec lui, et bien que les soirées fussent déjà froides, ils restaient longtemps sur le chemin à discuter. Parfois, quand il cherchait ses mots, elle les trouvait pour lui, les lui offrait, et il les acceptait comme de petits cadeaux. Un jour, elle glissa sur le chemin boueux, et il la rattrapa. Ces quelques secondes lui suffirent pour plonger dans la chaleur de ses yeux bruns et sentir une énergie nouvelle et inconnue danser en elle avec la légèreté d'une plume.

Fedir resta dix jours chez eux. Quand il retourna à la ferme, Jurij n'eut plus aucune raison de se rendre à la petite maison. Alors ils se mirent à se retrouver à l'orée du bois pour se promener sous le couvert des arbres, toujours sur leurs gardes.

Therese Mende se souvenait de la première fois qu'elle avait caressé le visage de Jurij. Höver lui avait donné un rasoir et Fedir lui avait coupé les cheveux. Elle passa ses doigts dans son épaisse chevelure mal coiffée et ne put se résigner à les en ôter. Elle caressa ses joues, son front, suivit du doigt le tracé de ses sourcils sombres et toucha ses lèvres minces. Il l'attira à lui. Avec le temps, il lui semblait être restée ainsi pendant des heures. Ses mains la caressaient, et leur chaleur à travers le tissu de sa veste, semblable au vent d'été sur la peau nue, se fraya un passage au plus profond de son être. Tout en elle la poussait vers lui. Puis ils s'embrassèrent. Après cette étreinte, la fraîcheur du soir n'eut plus de prise sur elle. Il murmura en reculant d'un pas, effrayé :

— Il faut pas.

Elle le savait. Elle connaissait les panneaux interdisant tout contact avec l'ennemi, mais le désir inconnu qui s'éveillait en elle, l'énergie qui la submergeait par vagues et cette joie jamais éprouvée jusque-là balayaient toutes ces considérations.

Elle rencontra Wilhelm quelques jours plus tard, en allant chercher les chaussures de son père chez le cordonnier. Il l'attendit près de sa bicyclette et lui dit, un léger reproche dans la voix, qu'elle se faisait rare. Elle lui parla d'un surcroît de travail à l'usine, de son père qui ne rentrait plus que rarement et du jardin dont sa mère et elle devaient à présent s'occuper. Elle posa les chaussures, qu'elle avait nouées par les lacets, sur son épaule et saisit le guidon de son vélo.

— Je pourrais venir te chercher, dimanche. On pourrait aller au bord du Rhin ou en ville. Il faut que tu te changes les idées, proposa-t-il.

— C'est gentil de ta part, dit-elle précipitamment en tirant la bicyclette à elle, mais je n'ai vraiment pas le temps.

Wilhelm retint son vélo par la selle et dit à voix basse :

— Therese, je...

Il lui saisit le bras.

— Ne pourrions-nous pas nous voir au moins de temps en temps ?

Elle baissa les yeux et secoua la tête.

— Non, Wilhelm, ce ne serait pas bien.

Sa voix changea.

— Tu as quelqu'un d'autre ?

Son ton tranchant la fit sursauter. Un instant, elle pensa : « Il sait ». Son cœur se mit à battre la chamade. Un sourire amer se dessina sur les lèvres de Wilhelm, et il demanda doucement :

— C'est quelqu'un de l'usine ?

Elle dissimula son soulagement.

Therese Mende ouvrit la porte de la terrasse. La pluie s'était calmée et l'aurore formait une ligne gris clair sur la mer agitée qui avait encore la couleur de la nuit. Au cours des prochaines heures, les derniers nuages quitteraient l'île, et à midi au plus tard, le ciel retrouverait sa couleur bleue.

Comme elle avait été stupide ! La question de Wilhelm lui avait paru sonner comme un avertissement du destin, et elle, elle l'avait conforté dans sa supposition. Elle s'était imaginé qu'il renoncerait à elle si elle n'était plus libre et avait répondu : « Oui, c'est quelqu'un de l'usine. »

27

24 avril 1998

Karl van den Boom avait mal dormi. À six heures du matin, il se rendit dans la cuisine en traînant les pieds pour préparer son petit déjeuner. Lilli se frotta contre ses jambes pendant que Marlen, enroulée sur un coussin sur le rebord de la fenêtre, continuait à dormir. Il s'adressa comme toujours à Lilli :

— Si les archives municipales ouvrent à neuf heures, je devrais pouvoir joindre Scholten chez lui dès huit heures. Qu'est-ce que tu en penses ?

La chatte venait d'inclure son écuelle dans sa ronde. La queue bien dressée, elle parcourait des huit parfaits entre les jambes de van den Boom et sa gamelle tandis que Marlen ouvrait par moments ses yeux verts pour les refermer aussitôt d'un air de profond ennui.

Une bonne odeur de café se répandit. Van den Boom mit deux toasts dans le grille-pain, disposa confiture, beurre et fromage sur la table et alla chercher le journal dans la boîte aux lettres. La mort de Rita Albers faisait la une du cahier local qui titrait : MORTE DANS SA MAISON DE CAMPAGNE. Karl eut un rire moqueur.

— Oh, là là, Lilli, pourquoi faut-il toujours qu'ils exagèrent ? C'est une maison de gardien et ils en font une maison de campagne.

Dans son article, le journaleux supposait qu'il s'agissait d'un cambriolage qui avait mal tourné. Les collègues de la brigade criminelle n'avaient donc livré aucune information à la presse.

À huit heures précises, il décrocha son téléphone et appela le domicile de l'archiviste Scholten. L'homme avait entendu des rumeurs, la veille.

— Mais… mon Dieu, je ne savais pas qu'il s'agissait de cette journaliste.

Puis il expliqua quels renseignements Rita était venue chercher.

— J'ai l'impression qu'elle s'intéressait avant tout à la mort de Peters et aux soupçons qui se portaient sur son épouse. Pensez-vous que sa mort… que ses recherches ont un rapport avec sa mort ?

Van den Boom le rassura.

— Non, non. Nous cherchons simplement à reconstruire l'emploi du temps de Mme Albers.

Alors Scholten lui rapporta en détail les heures d'arrivée et de départ de Rita Albers, les documents qu'il lui avait montrés et les questions qu'elle avait posées. Van den Boom fut impressionné par son excellente mémoire. Il s'apprêtait à raccrocher quand Scholten ajouta :

— Ce n'est peut-être pas important, mais j'ai eu l'impression que Rita Albers a été très excitée en découvrant qu'une copie de l'acte de naissance de Therese Pohl avait été délivrée une nouvelle fois fin 1952. Le document n'a pas été envoyé par nos services, il a donc dû être retiré sur place.

Van den Boom mit fin à l'entretien et se demanda s'il devait prévenir ses collègues que Köbler était finalement venu, la veille, qu'il passerait les voir au poste au cours de la journée. Il ouvrit une boîte de pâtée pour chat et remplit

159

les deux écuelles. Marlen était elle aussi parfaitement éveillée, à présent. « Bah, ils le verront quand il débarquera », marmonna-t-il dans sa barbe. Il se servit une dernière tasse de café et assista, satisfait, au repas de ses chats.

Une demi-heure plus tard, il était en route pour Kleve.

Theo Gerhard habitait dans un quartier constitué de bâtiments à six étages. Son appartement se trouvait au deuxième ; van den Boom entendit l'ouverture de la porte vibrer seulement quelques secondes après qu'il eut sonné. Il gravissait les premières marches lorsqu'une tête apparut au-dessus de la rampe d'escalier et aboya :

— Qui êtes-vous ? Que voulez-vous ?

— Van den Boom, grommela-t-il, puis il lança en levant la tête : je suis policier. Il vaudrait peut-être mieux que je monte, ça sera plus facile pour se parler.

Arrivé au deuxième étage, il se retrouva face à un homme aux joues et au nez couperosés. Ses sourcils broussailleux donnaient à son regard un air indolent.

— Un collègue ? Qu'est-ce qui se passe ?

Le vieux ne faisait pas mine de vouloir retourner dans son logement, comme décidé à régler l'affaire sur le palier.

— Il s'agit d'un dossier ancien que vous avez traité et qui a peut-être un rapport avec un crime récent. Autrement dit, j'ai besoin de votre aide, dit van den Boom pour le flatter.

Gerhard hocha la tête d'un air satisfait et se tourna enfin vers la porte de son appartement.

— Eh bien, entrez, installons-nous au salon, dit-il d'une voix forte.

Van den Boom se demanda si l'homme était malentendant ou s'il parlait aussi fort par prétention. Les meubles du salon étaient plaqués de chêne et le capitonnage des fauteuils gris-vert avait connu des jours meilleurs. Toutefois, l'ordre et la propreté régnaient, ce qui mit van den Boom mal à l'aise.

Gerhard s'installa en face de Karl sans lui proposer de café, et Karl cessa immédiatement de le considérer comme un collègue. Un petit café aurait été la moindre des choses.

D'un geste plein de suffisance, Gerhard l'invita à parler.

— Eh bien, allez-y.

— Est-ce que les noms de Wilhelm et Therese Peters vous disent quelque chose ? demanda Karl, et il vit que Theo Gerhard ne semblait absolument pas surpris.

— L'affaire Peters ? Bien sûr que je m'en souviens. La femme était soupçonnée de meurtre. Elle a disparu.

— C'est exact, j'ai lu le dossier.

— Alors vous êtes au courant.

— Eh bien, le dossier est plutôt mince, et pas seulement parce que le papier en est fin. J'ai remarqué qu'il avait été classé deux mois à peine après la disparition de Mme Peters.

Gerhard eut un petit claquement de langue méprisant.

— Oui... et alors ? C'était comme ça, à l'époque. C'était difficile de rechercher une personne, et on avait d'autres chats à fouetter. En plus..., dit-il en fronçant ses sourcils broussailleux, on n'avait que des soupçons.

Il s'interrompit et s'efforça de déchiffrer l'expression du visage de Karl.

— Et pourquoi étiez-vous aussi sûr qu'il s'agissait d'un meurtre ? demanda Karl.

Gerhard le jaugea du regard et se pencha vers lui.

— Wilhelm Peters n'aurait jamais décampé comme ça, vous comprenez ? Il n'avait aucune raison de le faire. Et puis, pour lui, la famille, c'était sacré, il aurait au moins contacté ses parents.

Karl semblait plongé dans la contemplation des carreaux qui ornaient la table basse et que zébraient les rayons du soleil filtrés par le rideau blanc ajouré. Il dit comme si de rien n'était :

— Et maintenant, une journaliste qui s'intéressait à cette affaire vient d'être tuée, alors je me demande si ce dossier n'a pas été classé pour d'autres raisons encore.

Il eut l'impression que les lignes violettes sur les joues de Gerhard avaient pris une teinte plus foncée, mais c'était uniquement parce que son visage avait blêmi. Karl poursuivit :

— J'ai entendu dire que vous étiez un vieil ami de Peters, vous faisiez partie de la SA et lui de la SS.

Gerhard gronda :

— Qu'est-ce que vous voulez dire par là ? C'était une autre époque, et j'ai repris mon service dans la police dès la fin de la guerre. Vous croyez vraiment que ça aurait été possible si j'avais trempé dans des affaires louches ?

Van den Boom se cala dans son siège, joignit les mains sur son ventre et joua les incompris :

— Mais voyons, monsieur Gerhard, je ne pense pas ça. Je voulais simplement savoir, comme c'étaient vos amis, quel genre de personnes c'étaient.

Il y eut un silence. Le vieil homme respira avec effort, se leva et alla vers le buffet. Il posa une bouteille d'eau-de-vie et deux verres à cognac sur la table et les remplit. Un peu tôt pour van den Boom, mais si l'homme en devenait plus loquace, pourquoi pas. Soudain, il comprit pourquoi la pièce lui avait tant déplu quand il y était entré. Elle était parfaitement en ordre parce qu'il n'y avait rien à ranger. Pas d'objets personnels, de petites décorations ou de bibelots qui auraient pu témoigner d'une passion. Rien sur le rebord de la fenêtre, les niches de l'armoire murale étaient vides, pas de photos encadrées représentant des amis ou des parents, et sur la table basse, où se trouvaient maintenant la bouteille et les deux verres, n'était posé qu'un programme télé. L'appartement ne trahissait rien de la personnalité de son occupant.

162

Gerhard se rassit.

— Wilhelm et moi, nous avons été acquittés après l'enquête de dénazification.

« Acquittés », se dit van den Boom. Voilà qui sonnait mieux que ce qu'avait dit Scholten : « Un sympathisant, on n'a rien pu prouver à son sujet. » Mais il se tut et hocha la tête d'un air compréhensif.

— Et Mme Peters ? Elle était comment ?

Le vieux fit un geste dédaigneux de la main.

— C'était une traînée, si vous voulez mon avis. Wilhelm en était complètement fou. Le grand amour de sa jeunesse. Il n'a jamais compris quelle garce c'était.

Il prit son verre, le vida d'un trait et le reposa brutalement sur la table.

— Pendant la guerre, elle s'est servie de lui. C'est d'ailleurs pour ça qu'elle l'a épousé. Son père était sur la sellette depuis la fin des années 1930. Il n'a pu sauver sa tête que parce qu'il était médecin, et l'honorable demoiselle avait un gars au front et couchait avec un autre ici. Wilhelm a risqué sa carrière pour cette traînée. Son amour l'aveuglait. Et une fois la guerre finie, elle n'a plus eu besoin de lui, et il est devenu un boulet pour elle. Il a souffert le martyre, croyez-moi.

Il se versa encore un verre sans remarquer que van den Boom n'avait pas touché au sien et poursuivit :

— Et puis, comme par magie, il disparaît en 1950, après s'être violemment disputé avec elle le jour de la fête du village.

Il hocha la tête d'un air entendu.

— Et quelques semaines plus tard, elle s'évanouissait dans la nature.

Karl repoussa son verre, provoquant un frottement sec et dur. Il attendait, certain que le vieil homme n'en avait pas encore terminé. Gerhard était assis, penché vers l'avant, les

163

coudes sur les genoux, sans doute plongé dans ses souvenirs. Enfin, il dit :

— La journaliste m'a appelé.

Il leva les yeux.

— Avant-hier. Mais je l'ai envoyée paître, je lui ai dit que je ne lui parlerais pas.

Karl ne laissa rien paraître de sa surprise et hocha la tête d'un air satisfait, comme s'il s'était attendu à entendre ce détail.

— Qu'est-ce qu'elle voulait ?

— Je ne sais pas, glapit Gerhard, je lui ai dit que je refusais de lui parler.

Van den Boom vit le doute dans le regard de Gerhard et crut comprendre le problème. Ce jour-là, Gerhard était soûl, comme il devait souvent l'être à partir de midi, et maintenant, il ne savait plus exactement ce qu'il avait dit.

Karl passa mentalement ses notes en revue et demanda :

— A-t-elle parlé d'un certain Lubisch ?

Le vieux secoua la tête et fit la moue.

— Non. Non. C'est qui ?

Karl le crut et changea de sujet.

— On m'a indiqué qu'à la fin de la guerre, il s'était passé quelque chose qui avait dû avoir un rapport avec les Peters. On m'a dit que je devais vous questionner à ce sujet.

Le regard lourd de Gerhard devint méfiant.

— Ça suffit, maintenant, dit-il d'une voix qui n'était plus forte, mais menaçante. Fichez-moi le camp, et tout de suite.

— Qu'est-ce qui vous préoccupe donc tellement ? demanda van den Boom innocemment.

— Dehors ! hurla le vieux, le bras tendu vers la porte.

Karl eut la certitude qu'il n'en tirerait rien de plus. Il se leva péniblement. À la porte, il se retourna encore une fois. Gerhard ne s'était pas levé, prostré.

— Vous savez ce que je crois ? Je crois que vous avez été bien content que Therese Peters disparaisse et que ce dossier

164

soit classé si vite, parce que vous n'aviez aucun intérêt à ce qu'on la retrouve.

Le vieil homme fixait le fond de son verre à cognac et ne bougeait pas.

En retournant à sa voiture, Karl décida de rendre visite à ses collègues de la brigade criminelle, histoire de voir s'ils avaient du neuf ; peut-être que Köbler était déjà passé les voir.

28

24 avril 1998

Michael Dollinger joignit Robert Lubisch à la clinique à dix heures.

— Eh bien, tu as fait vite ! dit Robert sur le ton de la plaisanterie, persuadé que le soir précédent, Michael en avait trop promis et allait maintenant lui annoncer que toute cette affaire était plus compliquée qu'il ne l'imaginait.

Dollinger ne lui laissa pas le loisir de poursuivre ses pensées et demanda :

— Tu es assis ?

Robert mit deux secondes à comprendre.

— Tu l'as trouvée ?

— Et comment ! répondit Dollinger. Et je sais maintenant pourquoi la journaliste pensait que cette histoire valait son pesant d'or.

Robert attendit impatiemment la suite.

— Allô, tu es toujours là ? demanda Michael Dollinger.

— Oui ! Allez, dis-moi !

— Est-ce que le nom de Mende te dit quelque chose ?

Robert Lubisch réfléchit.

— Non. C'est son nom, aujourd'hui ?

Michael rit.

— Ta femme saurait sûrement de qui je parle. Tu as déjà entendu le nom de Mende Fashion ?

— La marque de vêtements ?

— Exactement. Mende Fashion. L'entreprise a été créée à Londres en 1964 par Tillmann et Therese Mende. En 1983, ils en ont transféré le siège en Allemagne. Tillmann Mende était designer et responsable de la direction artistique, et...

Michael s'interrompit brièvement avant de reprendre avec une satisfaction évidente :

— Sa femme Therese, née Pohl, devenue son épouse en 1956, se chargeait des affaires. L'entreprise possède aujourd'hui des filiales dans toute l'Europe. Tillmann Mende est mort en 1995, et un an plus tard, sa femme a transmis la direction à leur fille et s'est retirée. Elle vit maintenant à Majorque.

En l'écoutant, Robert Lubisch sentit ses pensées se bousculer. C'est lui qui avait mis Rita sur cette affaire. Avait-elle menacé Therese Mende de faire des révélations ?

— Allô ? lança son ami à l'autre bout de la ligne.

— Oui, j'essaye de mettre de l'ordre dans mes idées. Dis donc, ç'aurait pu devenir un beau scandale pour Mme Mende. Tu crois que... ?

— Je ne crois rien du tout, mais j'ai son adresse et son numéro de téléphone, et je suggère que tu les remettes à la police. Tu es incontestablement à l'origine de toute cette histoire, mais les conséquences n'ont rien à voir avec ton père.

Robert nota l'adresse et le numéro de téléphone, puis il prit une profonde inspiration.

— Michael, je te revaudrai ça.

— N'exagérons rien, trois coups de fil ont suffi. Ça m'a fait plaisir de t'aider.

Robert regarda l'adresse qu'il avait inscrite sur son agenda à l'emplacement du lendemain, un samedi.

— Dis-moi, comment as-tu fait pour trouver ça aussi vite ?

Dollinger rit et évoqua le secret professionnel et le fait que dans son domaine, tout était question de relations.

Ils prirent congé. Plongé dans ses pensées, Robert fixait l'inscription dans son agenda. Maren resterait à Bruxelles jusqu'au milieu de la semaine suivante. Lui-même finirait sa garde à midi et serait libre le samedi. Il tourna une page. Aucun rendez-vous important ne figurait à la journée du dimanche, il ne serait de garde que le soir.

Il remit l'appel à la police à plus tard. Au cours des deux heures suivantes, il s'occupa de ses petits malades, conscient que derrière les gestes routiniers, d'autres pensées faisaient surface par intermittence. Dans le couloir, il aborda un collègue et lui demanda sans intention particulière s'il pouvait échanger avec lui sa garde du dimanche. Ce n'est qu'en quittant son bureau à midi sans avoir téléphoné à la police, avec l'adresse de Therese Mende dans la poche de sa veste, qu'il s'avoua enfin avoir déjà pris sa décision au cours de sa conversation téléphonique avec Michael Dollinger. Dans une agence de voyage, il réserva un billet d'avion pour le soir, deux nuits d'hôtel dans le village de Majorque où vivait Therese Mende, et un billet de retour pour le dimanche soir.

Chez lui, il rechercha sur Internet des renseignements sur l'entreprise Mende. Il trouva des photos de Tillmann Mende et des clichés plus récents où on le voyait en compagnie de sa fille Isabel. Une seule photo le montrait à côté de sa femme. Elle datait de 1989 et illustrait un article célébrant les vingt-cinq ans d'existence de Mende Fashion. Il reconnut immédiatement les traits de son visage, mais il lui sembla pourtant qu'il s'agissait d'une autre femme. Son regard n'avait plus cette expression qui l'avait tant séduit sur la vieille photo de son père. La femme à l'air sérieux en robe à col montant qui fixait ici l'objectif avait un regard distant, presque arrogant.

Cette femme aurait-elle pu éliminer Rita Albers parce que celle-ci s'était mise en travers de son chemin ? Il étudia longuement la photo et finit par s'avouer qu'il avait décidé d'entreprendre ce voyage parce qu'en pensant à l'ancien cliché, il l'en avait crue incapable. Et parce qu'il craignait que sa curiosité ait mis cette femme en difficulté, et qu'il devait réparer le tort qu'il lui avait causé. Mais maintenant ?

Il secoua brusquement la tête, puis il fit sa valise, sortit la carte d'identité de Peters, le laissez-passer et le certificat de libération de la poche de sa veste et les mit dans son sac. Une heure avant son départ pour l'aéroport, on sonna.

Les deux policiers qu'il avait vus la veille se tenaient devant sa porte. Ils avaient besoin de ses empreintes digitales.

— La routine, affirma Söters en se léchant les lèvres.

— Il s'agit simplement de pouvoir différencier vos empreintes de celles des autres, expliqua la femme.

C'est elle qui pressa ses doigts sur le tampon encreur et le papier, et Robert en fut heureux. Il ne souffla mot de Therese Mende et de son projet de voyage. Sur le chemin de l'aéroport, il décida d'appeler Dollinger une fois à Majorque. Par mesure de précaution.

29

1943

L'hiver 1942-1943 fut glacial, et le soir, le vieux Höver allait chercher Jurij et Fedir et les laissait dormir sur les bancs de la cuisine. Wilhelm continuait à effectuer des tournées d'inspection dans la ferme des Höver. Il ne constata pas cette infraction aux règles d'hébergement des prisonniers de guerre, mais un jour, à midi, il trouva Jurij et Fedir en train de déjeuner avec les Höver, ce qui le mit hors de lui.

— Vous m'aviez promis de vous en tenir aux règles. Il est interdit de prendre ses repas avec l'ennemi !

Puis il hurla à Jurij et à Fedir :

— Dans la grange ! Sinon vous disparaîtrez d'ici encore plus vite que vous l'auriez souhaité !

Höver ne se laissa pas impressionner.

— Restez assis. On travaille ensemble, on peut aussi manger ensemble.

Puis il se tourna vers Wilhelm.

— Si tu crois que je vais devenir communiste parce que je mange avec eux, je peux te rassurer. Je ne suis toujours pas un nazi, et pourtant, ça fait des années que j'ai affaire à vous.

Jurij lui raconta la scène lors de l'un de leurs rendez-vous secrets. Ils se voyaient une à deux fois par semaine, se tenaient étroitement enlacés pendant une bonne demi-heure avant de se séparer, transis de froid. Ce soir-là, Jurij était ensuite devenu très silencieux puis avait murmuré :

— Therese, j'ai du souci. Nous sommes dangereux pour les Höver, pour Fedir et pour tes parents.

La formulation lui avait semblé absurde. Ils avaient peur, se voyaient en secret, ils se cachaient et avaient froid, et cela faisait d'eux un danger pour les autres. Lorsqu'il parla de ne plus se voir, elle sentit son cœur s'affoler et proposa :

— Moins souvent.

Mais au bout de deux semaines pendant lesquelles ils ne se virent plus que deux fois, ils reprirent leurs vieilles habitudes. Ces demi-heures passées avec Jurij étaient devenues sa raison de vivre. Sans lui, les journées paraissaient mornes à Therese, du temps perdu la séparant de lui.

Un jour, il lui dit :

— Quand on se voit pas pendant plusieurs jours, j'ai peur que tu n'existes pas, que je t'ai seulement rêvée.

Elle se rendit chez Heuer, le photographe, et sourit à son objectif pour le seul bonheur de Jurij. Le soir du 26 décembre, au bord de l'étang gelé, elle lui offrit le cliché. Il la souleva et la fit virevolter. Ils ne cessaient de glisser et de se rattraper l'un l'autre sur la surface gelée de l'étang. Le ciel nocturne noircissait les espaces entre les arbres couverts de neige. Le fin maillage des branches scintillait comme des toiles d'araignée blanches et protégeait leur gaîté exubérante. On n'entendait que leurs semelles glisser sur la surface de la glace et, parfois, un rire étouffé et joyeux.

Ils étaient des enfants emplis d'une joie de vivre secrète, dansant au son d'une musique silencieuse. Un escadron de bombardiers les survola en grondant et partit au loin, à la guerre, et la guerre était loin ; là où ils étaient, il ne pouvait y avoir de guerre.

Therese Mende, installée dans un fauteuil, se sentait faible. Il était près de midi et le soleil repartait à la conquête du ciel. Luisa avait ouvert les portes coulissantes qui donnaient sur la terrasse et un vent faible gonflait les doubles rideaux couleur crème. Therese appela sa gouvernante pour lui demander un expresso. Elle n'avait pas encore fait sa promenade matinale et comptait se rattraper.

Il lui arrivait parfois de ne pas penser à la guerre pendant des jours, de tout simplement l'oublier. Et dans cette paix qu'ils étaient les seuls à connaître, ils se tenaient embrassés, ne formant plus qu'un seul corps et un seul souffle. Leurs mains sous leurs manteaux murmuraient, cherchaient, allaient toujours plus loin. Chaque fois qu'ils se quittaient, au cœur de la nuit, elle éprouvait comme un déchirement, et quand ils ne se voyaient plus, au cours des jours suivants, les heures, les minutes et les secondes s'accumulaient comme autant de barrières infranchissables.

Malgré toute cette adversité, elle se sentait une force qu'elle ne connaîtrait plus jamais par la suite, une énergie qui élevait son âme et la transportait. Un jour, Jurij lui dit :

— Chez nous, on dit que le véritable amour est comme un anneau. Il n'a pas de fin.

Elle reçut cette phrase comme un gage, une vérité ancestrale et inébranlable.

Elle alla dans son dressing.

Quand on est jeune, on ne soupçonne pas que l'amour reste même quand l'autre est parti. Telle une douleur fantôme. Et cette douleur devient elle aussi pareille à un anneau. Elle n'a pas de fin.

Au secrétariat de l'usine, elle s'était liée d'amitié avec Martha et Waltraud, deux collègues de son âge. Le fiancé de Waltraud était au front, et Martha flirtait avec tous les hommes qui passaient la porte du bureau. Un lundi de mi-février, pendant la pause déjeuner, Martha lui demanda :

— Dis-moi, connais-tu un certain Wilhelm Peters ?

Therese était étonnée. Martha lui raconta qu'elle avait fait la connaissance de Wilhelm au bal quelques jours avant.

— Il n'a pas arrêté de m'inviter à danser, mais c'était seulement pour me poser des questions. Il m'a constamment parlé de toi, il voulait savoir qui était ton chéri et a dit que tu fréquentais un gars de l'usine.

Elle fit la moue.

— Therese, je crois qu'il est vraiment très amoureux de toi. Je n'ai pas la moindre chance.

Therese réprima la nausée qui la gagnait et demanda prudemment :

— Qu'est-ce que tu lui as dit ?

Martha rit.

— Qu'il ne devait pas se faire de souci. Je lui ai dit : si elle fréquentait quelqu'un de l'usine, je le saurais.

Therese eut le souffle coupé ; la voix de Martha résonnait étrangement à ses oreilles.

— Il est beau garçon, et il a de la prestance. À moi, il me plairait, l'entendit-elle dire.

Puis elle perçut encore quelques bribes de phrases.

— Sûrement jaloux... Il ne se lassera pas de sitôt... Je l'ai souvent vu posté près du portail de l'usine...

De retour au secrétariat, elle eut l'impression que c'était sur elle que les frappes des douze machines à écrire s'abattaient avec leur bruit métallique, et elle fut incapable de retrouver des idées claires. Elle accomplit son travail mécaniquement jusqu'au soir et ne se calma qu'en rentrant chez elle à bicyclette, le froid humide lui rafraîchissant le visage et la tête. Au cours des semaines passées, elle n'avait pas oublié Wilhelm, pas lui, mais son attirance pour elle, qui lui paraissait désormais être une malédiction. Puis ses pensées se bousculèrent. Jusque-là, Wilhelm avait cru qu'il trouverait

173

son rival à l'usine. Martha l'avait vu à plusieurs reprises au portail. Allait-il commencer à l'espionner chez elle, maintenant ?

Le soir même, elle rendit visite à Alwine, qu'elle avait négligée au cours des derniers mois. Son amie l'accueillit avec chaleur, presque avec exubérance. Therese fut d'abord déconcertée, ignorant comment s'enquérir de Wilhelm sans éveiller la vieille jalousie d'Alwine. Mais celle-ci aborda d'elle-même le sujet, un sourire complice aux lèvres.

— Et maintenant, raconte, demanda-t-elle tout excitée. C'est qui ?

Therese la regarda, les yeux écarquillés, sans savoir quoi répondre.

— Allez ! Tout le monde en parle. Comment il s'appelle ? lança Alwine joyeusement.

Ces questions prirent Therese par surprise, mais quand elle commença à nier, elle vit la suspicion naître dans le regard de son amie. Gênée, elle baissa la tête et demanda :

— Et qu'est-ce qu'on raconte ?

Alwine rit, soulagée, de son rire d'avant, si communicatif, qui recréa le climat de confiance d'autrefois.

— On dit surtout que tu en fais tout un mystère.

Elle pensa que l'important pour Alwine, c'était qu'il y eût bien quelqu'un d'autre et qu'elle, Therese, ne soit plus libre pour Wilhelm. Et puis, elle portait en elle cette plénitude débordante, ce besoin de partager son bonheur. Elle prit la main de son amie.

— Tu ne dois jamais le dire à personne, murmura-t-elle. Promets-le-moi !

Alwine ouvrit de grands yeux, et Therese se souvint de tous les secrets qu'elles avaient partagés et gardés quand elles allaient ensemble à l'école. Elle lui parla de Jurij. Quand elle prononça ce nom, Alwine porta sa main à sa poitrine dans un geste d'effroi et dit :

— Tu veux dire... un Russe ?

Therese Mende se souvenait avec exactitude de ce moment. Elle ressentait encore la peur s'emparer d'elle, son cœur refuser de continuer à battre et ses genoux se dérober sous elle.

Mais Alwine lui caressa la joue.

— Voilà pourquoi tu en fais un tel mystère.

Elle planta son regard dans les yeux de Therese.

— Personne ne doit l'apprendre, et surtout pas Wilhelm.

Son soulagement fut sans limite. Elles passèrent ensemble plus de deux heures à s'entretenir à voix basse et à rire comme par le passé. Et ce fut Alwine, Alwine à l'esprit si imaginatif, qui proposa une solution :

— Le mieux serait que tu confirmes la rumeur et que tu racontes que c'est un soldat.

Et Alwine alla même plus loin. Quand elles se revirent, deux semaines plus tard, elle avait contacté un ami rencontré à Cologne. Elle annonça, rayonnante :

— Il est officier en France. Lui est fiancé, mais l'un de ses caporaux va t'écrire régulièrement.

Therese retint son souffle ; elle avait envie de pleurer, craignant que son exubérante amie n'eût divulgué son secret. Alwine la rassura.

— Je lui ai écrit que tu voulais échapper aux assiduités d'un admirateur, et qu'un fiancé au front serait le meilleur moyen.

À partir de ce moment, elle reçut régulièrement du courrier de France, et Alwine s'arrangea pour que Wilhelm l'apprît. Dans l'une de ses premières lettres, le caporal la pria de lui envoyer une photo. Elle manquait d'argent pour en faire faire une nouvelle, et il lui en coûtait d'envoyer à un inconnu une copie de la photo destinée exclusivement à Jurij. Mais au printemps, elle la glissa entre les pages d'une lettre où elle le remerciait pour son aide.

Aucune menace ne semblait plus planer sur son bonheur secret partagé avec Jurij. Les soirées désormais douces leur

175

permettaient de passer près de deux heures ensemble dans le bois voisin ou près de l'étang, dans la lumière déclinante du crépuscule. Le printemps leur avait offert le plus beau des cadeaux : l'obscurité ne les entourait plus. Le parfum du sureau, doux et capiteux à la fois, et surtout les couleurs de la nature, leur redonnaient confiance.

Les nouvelles que l'on murmurait y contribuaient aussi. Derrière les annonces officielles à la radio et dans les journaux, derrière les hurlements de « guerre totale » et de « victoire finale », d'autres informations couvaient et passaient de bouche à oreille. « La guerre se termine » ; « la guerre est perdue ». Au travail, son père et ses collègues écoutaient la BBC et connaissaient l'évolution des frontières. Quand Therese en faisait part à Jurij, il se signait, la remerciait et couvrait son visage de petits baisers légers. Puis il l'attirait à elle, et ils n'osaient plus parler d'avenir. Assis tout près l'un de l'autre, ils rêvaient de la paix et la craignaient tout autant.

30

24 avril 1998

L'échalas n'était pas là. Manfred Steiner, avec qui Karl avait effectué des rondes au début de sa carrière, assis à son bureau de la brigade criminelle, lui dit pour tout bonjour :

— Tu t'es fait mal voir.

Van den Boom passa la main sur sa calvitie et prit un air faussement froissé.

— Mais Köbler est finalement passé la nuit dernière et voulait venir ici aujourd'hui.

Steiner plissa le front. C'était un homme maigre à l'abondante chevelure grise coupée court. Quand il était assis, il avait l'habitude de tapoter l'une contre l'autre les branches de ses lunettes de lecture qui pendaient au bout d'une chaînette. Et c'est justement ce qu'il était en train de faire.

— Il n'est pas venu, et sa rédaction nous a informés qu'il ne viendrait pas au bureau pendant deux jours.

Steiner se leva, alla à la machine à café, remplit deux gobelets et en tendit un à Karl.

— Alors, qu'est-ce qu'il t'a raconté, ce Köbler ?

Karl secoua la tête.

— Il était buté, il voulait savoir ce que Rita Albers avait trouvé sur Peters. Sans doute mène-t-il lui-même des recherches à présent.

— Tu parles de la suspicion de meurtre du début des années 1950 ?

Karl acquiesça. Steiner ouvrit un dossier.

— Alors... Pour l'instant, nous ne pensons pas qu'il existe un lien entre ces deux affaires. Même si Rita Albers a retrouvé Therese Peters, le dossier des archives ne contient aucun élément qui nous permettrait d'inquiéter cette femme aujourd'hui. Les soupçons étaient déjà sans fondement à l'époque. Pourquoi Therese Peters aurait-elle tué Rita Albers près de cinquante ans plus tard ?

Il se cala dans son siège.

— Nous enquêtons sur l'ex-mari de Rita Albers et dans son entourage personnel. Il semblerait que ce soit plutôt un crime passionnel. Les blessures à la tête sont très graves et le meurtrier a frappé plusieurs fois. Je ne crois pas qu'il puisse s'agir d'une femme âgée.

Van den Boom but un peu de café et se demanda s'il devait raconter à Steiner sa visite chez Gerhard. Il décida de se taire. Il valait mieux qu'ils enquêtent dans des directions différentes, sans se marcher sur les pieds. Cela lui ferait gagner un peu de temps. Il demanda innocemment :

— Savez-vous déjà quelque chose au sujet de l'arme du crime ?

Manfred Steiner tapota les branches de ses lunettes l'une contre l'autre.

— Un attendrisseur à viande en aluminium d'une surface de frappe de 50 sur 70 mm. Il provient sans doute de la cuisine. En tout cas, nous y avons trouvé un rail avec différents ustensiles du même métal.

— Hm..., grommela Karl. Mais l'engin en question, vous ne l'avez pas retrouvé.

Le téléphone sonna. Steiner décrocha et van den Boom chercha à comprendre de quoi il retournait en écoutant ses réponses.

— Chez vous, aux archives ?... Non, il ne peut pas... Je l'ai dans mon bureau, il fait partie de l'enquête en cours... Eh bien, il faut qu'il passe nous voir.

Quand Steiner raccrocha, Karl lui sourit.

— Laisse-moi deviner. Köbler est à Kleve et veut consulter le dossier Peters ?

Steiner mit ses lunettes.

— Se pourrait-il que tu en saches plus que tu ne veuilles le dire ?

Karl secoua la tête.

— Rien de concret, vraiment. Beaucoup d'éléments incohérents. Trop, en fait, tu comprends ?

Il parla de Hanna, de Paul, et même de Gerhard, décrivant sa réaction quand il l'avait questionné au sujet des dernières années de la guerre. Tout en alignant ces informations, il se souvint comment Hanna et Paul avaient réagi au nom de Lubisch.

— Ce Lubisch, demanda-t-il, pourquoi s'intéresse-t-il aux Peters ?

— Ce sont les collègues de Hambourg qui l'ont interrogé.

Steiner feuilleta dans ses documents.

— Tiens.

Il fit glisser vers Karl un document imprimé, la photo d'une jeune femme. Karl fut surpris. Elle n'était pas ce que l'on appelait communément jolie : sur cette photo, elle était belle. Il se souvint que Gerhard l'avait qualifiée de traînée.

Steiner lui lut quelques passages du dossier :

— Lubisch avait un intérêt personnel... Il a trouvé cette photo parmi les affaires héritées de son père et a voulu savoir qui elle était. Au dos de la photo se trouvait le nom de l'atelier Heuer, ici, à Kranenburg... C'est comme ça qu'il a atterri chez Rita Albers.

Karl se leva lentement, remercia Steiner pour le café et s'apprêtait à partir quand Steiner se mit debout à son tour et dit :

— Karl, je propose que nous nous tenions mutuellement informés.

Van den Boom acquiesça d'un air satisfait.

— Ça marche, si tu t'arranges pour que l'échalas me fiche la paix.

Karl rit.

— Voilà qui est intéressant. Ce matin, il m'a dit : « Et surtout débarrasse-moi de ce shérif du village. »

En quittant le commissariat principal, Karl songea à l'expression « shérif du village ». Il revit John Wayne somnolant au soleil dans un fauteuil à bascule, les pieds sur une balustrade. Les passants le saluaient aimablement et il leur répondait en portant deux doigts au rebord de son chapeau.

« Shérif du village », voilà qui lui convenait tout à fait.

31

1943

Ils se virent moins souvent au cours de l'été. Dans les fermes, le travail débutait tôt le matin et finissait tard le soir. Le bombardement systématique de la Ruhr avait commencé. Pendant la journée, les bombardiers à longue distance américains survolaient le Rhin inférieur, et la nuit, ceux des Anglais prenaient la relève. Le hurlement des sirènes et le grondement dans le ciel devinrent naturels, et la perception que la population en avait changea. À présent, un silence qui durait plusieurs heures avait quelque chose de menaçant.

Ils se retrouvaient au bord de la clairière, près du mirador où elle était venue chercher et déposer des papiers d'identité quatre ans auparavant. La verte clairière avait une forme allongée et un hêtre pourpre à la couronne majestueuse poussait en son centre. Rouge rubis sur un fond de ciel bleu s'estompant lentement. Un dimanche soir, il régnait un silence qui semblait appartenir à une autre réalité. Allongés dans l'herbe, ils se serrèrent l'un contre l'autre, voulant rester pour toujours ainsi, en silence, dans cette paix. Leurs mains, légères comme des ailes, les faisaient trembler, les ébranlaient ; ils se voulurent entièrement, s'enveloppèrent dans une peau nue d'été et se connurent enfin pleinement. Le premier soir, elle ne la ressentit pas, mais plus tard, elle découvrit cette sensation de planer qui va s'intensifiant et dont l'apothéose, elle le découvrit avec étonnement, se trouve dans sa chute. Et chaque fois qu'elle ouvrait les yeux, le rouge rubis du hêtre et le bleu profond du ciel reposaient dans la nuque de Jurij. Les couleurs du bonheur.

Ses parents toléraient ces promenades nocturnes. Parfois, quand elle partait, son père lui disait :

— Sois prudente, mon enfant.

Il le disait tout à fait incidemment, à voix très basse, et son murmure ajoutait un secret au secret. Les lettres du caporal basé en France continuaient à lui parvenir, et elle répondait avec la même régularité. Un jour, il écrivit : *Un de mes camarades a découvert ta photo. Je lui ai dit que tu étais ma fiancée. Tout le monde m'envie.*

Le 28 septembre 1943, elle alla comme tous les mercredis soir chercher du lait à la ferme Höver. Tout le monde récoltait les betteraves, et dans la cour, Fedir et Hanna déchargeaient les tubercules d'une remorque. Therese les salua et se dirigea vers la dépendance. Elle y remplissait son petit pot à l'aide d'une louche quand Hanna surgit dans son dos. Elle repoussa quelques mèches de cheveux sous son foulard et évita le regard de Therese.

— Wilhelm a demandé à mon père si tu venais souvent ici, le soir, dit-elle soudain.

La louche tomba par terre et Therese regarda fixement Hanna. Celle-ci se pencha et la ramassa sans mot dire, prit le pot des mains de Therese et le remplit machinalement.

— Sois prudente, l'avertit-elle.

Puis elle lui tendit son pot à lait et quitta précipitamment la dépendance.

Therese Mende s'arrêta sur la dernière marche du petit escalier qui passait entre deux cafés et menait à la plage. Le vent et la pluie de la nuit précédente avaient agité la mer. L'eau avait encore une couleur glauque et le varech séchait en larges bandes sur le sable.

Ce soir-là, elle avait oublié le couvercle du pot, et sur le chemin du retour, le lait n'avait cessé de déborder. Les larmes lui inondaient le visage et elle essayait de se convaincre qu'elle pleurait à cause du lait renversé, refusant de s'avouer qu'elle pressentait que c'était le début de la fin.

Elle ne gardait qu'un souvenir flou des jours qui suivirent, et elle mit des années à se rendre compte que les images qu'elle se rappelait étaient grises, comme si, au cours de ce soir d'automne, les couleurs avaient quitté sa vie.

Dès le lendemain, vers six heures du matin, Theo Gerhard vint la chercher avec deux hommes de la Gestapo. Ils l'emmenèrent à Kleve avec ses parents. Sa mère put rentrer le jour même, son père au bout de deux jours. Ils le relâchèrent à contrecœur, mais il était médecin, et des gens influents l'avaient exigé.

Les murs gris de sa cellule, la couverture grise sur le châlit nu, la salle d'interrogatoire grise et les uniformes gris et noirs. Et par-dessus tout cela, la voix forte de Theo Gerhard qui paraissait crier sans cesse, même quand il se faisait aimable et presque suppliant pour la convaincre de parler.

Elle ne cessait de répéter qu'elle avait un fiancé en France et ne connaissait Jurij que de vue. Il lui était arrivé de le croiser chez les Höver, et parfois, elle l'avait vu travailler dans les champs.

Gerhard la frappa au visage.

— Pute à bolchevistes ! hurla-t-il, ajoutant avec mépris : le Russe, on le mettra au poteau de toute manière !

Le troisième jour, il jeta un paquet de lettres sur la table, en sortit une au hasard et lui demanda de la lire à haute voix. Elle lut :

Chère mademoiselle Pohl, votre photo m'est parvenue aujourd'hui. Je sais enfin à quoi vous ressemblez. Je suis très reconnaissant à notre sous-officier de m'avoir prié de vous écrire régulièrement...

Plus tard, son père lui dit qu'elle était restée en prison pendant huit jours. Elle devait en être à son cinquième ou sixième jour quand Gerhard lui montra une autre lettre.

... Que j'ai vu Therese Pohl avec Jurij près de la forêt... Qu'ils se rencontraient très souvent à l'orée du bois et qu'ils s'embrassaient...

Le nom de Paul Höver était tapé à la machine, à la fin du document.

— Un enfant, dit-elle. Un enfant qui ne sait même pas encore lire.

Gerhard se leva d'un bond et hurla :

— Tu vas pas encore devenir effrontée, espèce de putain menteuse ?

Puis il jeta sur la table la photo qu'elle avait offerte à Jurij. Ce qui se passa ensuite ne dura certainement que quelques minutes, mais elles lui firent l'effet d'une éternité. Il la prit par les cheveux, l'arracha de sa chaise et la projeta contre le mur. Une douleur diffuse lui emplit la tête, elle sentit ses genoux se dérober sous elle et vit le sol en béton de la salle d'interrogatoire se précipiter vers elle, pensa qu'il se soulevait, et que c'était impossible. Des coups au visage, les postillons et les hurlements de Gerhard. Des douleurs inexplicables envahissant tout son corps par intermittence. Sa respiration bloquée quand il la frappa au ventre. Ses bras sur la tête pour essayer de se protéger, elle vit les bottes noires s'abattre encore et encore sur elle, sentit l'odeur du sang et du cirage, puis plus rien.

Elle ne revint à elle qu'une fois dans sa cellule, où elle vomit et urina sous elle.

Tout cela, ce n'était que de brèves visions, des bribes de moments qu'elle ne put jamais reconstituer entièrement, pas même des années plus tard. Elle se souvenait uniquement avoir été morte de peur. Une peur qui la rendit sourde et aveugle, une peur qui lui fit presque perdre la raison.

Elle ignorait combien de temps avait passé quand, une nuit, on vint la chercher dans sa cellule, on la poussa le long d'un couloir, puis on la jeta dehors par une porte de côté. Dehors, il pleuvait à verse. Elle se traîna jusqu'à chez Martha, qui habitait au pied du château de Schwanenburg. Quand celle-ci la reconnut, elle poussa un hurlement et la tira précipitamment à l'intérieur. L'obscurité. De courts moments de lucidité. Martha la lava, lui banda la tête et la fit boire. Le lendemain soir, un ami de Martha la ramena chez elle dans une carriole tractée par un cheval. Le hurlement de détresse de sa mère résonnait encore dans ses oreilles, puis le film se déchirait.

Elle souffrait de plaies ouvertes à la tête, d'une commotion cérébrale, avait plusieurs côtes cassées, des bleus et des éraflures sur tout le corps.

Wilhelm vint lui rendre visite deux jours plus tard, hors de lui. Il n'était au courant de rien. Il lui apprit que Jurij avait été condamné à mort par un tribunal expéditif, mais n'avait pas encore été exécuté. Fedir avait été renvoyé au camp de Münster.

Elle pleura, le supplia, lui promit qu'il pourrait lui demander n'importe quoi s'il consentait à aider Jurij. Des larmes brillaient dans les yeux de Wilhelm quand il dit :

— Tu sais que je ferais tout pour toi, Therese. Mais qu'est-ce que tu t'imagines ? Crois-tu vraiment que je pourrais l'aider à fuir et qu'il pourrait ensuite revenir vers toi ?

— Je veux simplement qu'il vive, murmura-t-elle, je ne veux rien de plus.

Wilhelm fit de longues allées et venues silencieuses au pied de son lit, ne cessant de se poster à la fenêtre pour regarder dehors d'un air pensif. Puis il demanda :

— Veux-tu devenir ma femme ?

Elle ne comprit pas, pensant que sa tête endolorie et com-
motionnée lui jouait un tour. Il s'assit près d'elle sur le lit et
lui dit, cette fois sur un ton froid et réfléchi :

— Therese, je suis prêt à mettre ma vie en jeu pour toi.
Gerhard n'aurait pas dû te frapper, et pour ça, il me doit une
faveur. Je peux peut-être aider ce Russe à s'enfuir, mais ensuite,
il faudra qu'il disparaisse immédiatement, tu comprends ?

Enfin une lueur d'espoir ! Bien sûr qu'elle comprenait que
Jurij devait partir. Mais il vivrait. Quand elle prit la main de
Wilhelm pour le remercier, il lui demanda encore :

— Vas-tu m'épouser ?

Elle hésita, comprit que c'était la condition. Puis elle
acquiesça. Si Wilhelm mettait sa vie en danger pour sauver
Jurij, le prix à payer n'était pas trop élevé.

Cinq jours et cinq nuits passèrent sans que Wilhelm ne
se manifeste. Therese pouvait de nouveau aider sa mère pour
de petites tâches ménagères et se disait parfois, le cœur battant, qu'elle avait rêvé la visite de Wilhelm, que son souhait
si ardent de ne pas voir Jurij mourir lui avait fait imaginer
cette discussion.

Puis vint le matin du 16 octobre, un samedi. Un
brouillard épais couvrait toute la plaine. Peu après huit
heures, elle sortit nourrir les deux lapins. Au puits, elle pom-
pait de l'eau dans une écuelle quand Hanna, pareille à un fantôme, surgit du brouillard.

— Jurij doit partir, dit-elle. Il veut te voir une dernière
fois.

Elle avait parlé à voix basse et le brouillard semblait assour-
dir encore ses paroles. Therese posa lentement l'écuelle sur la
margelle du puits, mettant quelques secondes à comprendre.

— Allez, viens, siffla Hanna entre ses dents, puis elle se
tourna et partit.

Therese la suivit, sentant la douleur dans ses côtes quand
elle courut pour essayer de la rattraper. Dans sa tête, mille

questions qu'elle n'arrivait pas à formuler. Seule une pensée était claire : il vit, il vit.

Elles ne prirent pas le chemin. Hanna coupa à travers les prés et les champs moissonnés qui s'étendaient derrière la ferme Höver. Puis elle lui montra la grange et murmura avant de disparaître :

— Le mur arrière.

Jurij était adossé au mur de la grange. Il se signa quand il la vit.

— Dieu est avec nous, Therese, dit-il.

Il avait un œil au beurre noir, un bandage de fortune autour de la tête, le bras gauche en écharpe, les lèvres fendues, et elle se doutait à quoi ressemblait son corps sous ses vêtements. Ils se serrèrent l'un contre l'autre pendant de longues minutes, sans dire le moindre mot. Enfin, il murmura :

— Nous n'avons pas beaucoup de temps, Therese.

Il prit son visage entre ses mains.

— Qu'est-ce que tu as fait ?

D'abord, elle ne comprit pas ce qu'il voulait dire.

— Pourquoi me laissent-ils partir ? demanda-t-il, et dans son regard se lisait la peur de sa réponse.

Therese s'approcha de la mer. À cet endroit, le sable était ferme, et l'on pouvait marcher avec moins de difficulté. C'était la seule fois qu'elle lui avait menti, ne voulant pas troubler ce court moment ensemble. L'espoir est illogique. L'espoir est irresponsable.

La guerre, tout le monde le disait, se terminerait bientôt. Alors Jurij reviendrait, et elle partirait avec lui. Jurij lui avait fait comprendre à plusieurs reprises qu'il ne souhaitait pas forcément rentrer chez lui. « Ce n'est pas mieux là-bas », avait-il dit.

Elle caressa son visage si familier et dit :

— J'ai demandé à Wilhelm de m'aider.

Il la serra fort contre lui et lui raconta à voix basse ce qui lui était arrivé. Gerhard était venu le chercher.

— Il a présenté un document et a dit qu'il devait m'emmener à Kranenburg pour un interrogatoire.

Et elle pensait à des choses absurdes, comme : et dire qu'il était près de moi tout le temps que j'étais en prison.

Dans la fourgonnette de la prison se trouvait un autre prisonnier. À mi-chemin, dans un endroit isolé, le véhicule s'était arrêté. Gerhard avait ouvert la portière, débarrassé Jurij de ses liens et dit :

— Fous le camp.

Jurij n'avait d'abord pas bougé, persuadé que Gerhard l'abattrait dès qu'il se mettrait à courir. Mais Gerhard avait ri.

— Alors, t'as la trouille, maintenant ?

Il avait verrouillé la portière et s'était dirigé vers la cabine en laissant Jurij à l'arrière du véhicule. Là, il s'était immobilisé une nouvelle fois.

— Tu dois ça à ta putain, avait-il dit en souriant.

Puis il s'était agrippé l'entrejambe et avait fait des mouvements de va-et-vient avec le bassin avant de remonter dans la fourgonnette et de démarrer.

Therese rassura Jurij :

— Gerhard ment. Wilhelm l'a fait par amitié pour moi.

Quand ils se séparèrent, le chagrin, mais aussi une foi enfantine les animaient. Jurij avait l'intention de se cacher dans la forêt, puis de passer en Hollande au cours de la nuit.

— Dès que je serai en sécurité, je te donnerai de mes nouvelles, dit-il.

Quand il disparut dans le brouillard en boitant, elle était sûre qu'elle le reverrait. Pas au cours des jours suivants ni des semaines à venir. Mais bientôt.

32

24 avril 1998

Robert Lubisch avait loué une voiture à l'aéroport. Il faisait déjà nuit quand il arriva dans la station balnéaire, peu après vingt et une heures. L'hôtel, une bâtisse ouverte et aérée de type méditerranéen, se trouvait près de la plage, et en ce début de saison, les touristes étaient rares et le personnel aux petits soins. Sa chambre avec balcon donnait sur une cour intérieure où une piscine délaissée, en forme de haricot, luisait d'un éclat turquoise.

Il décida de faire une promenade et de visiter le village. Il nota sur une feuille l'adresse de Therese Mende, sans y ajouter son nom, et en demanda le chemin à la réception. Le portier sourit et dit immédiatement :

— Oh, vous voulez aller voir la señora Mende ! Ce n'est pas loin.

Il lui indiqua le chemin, et Robert partit en flânant dans l'air doux du soir. Les restaurants, cafés et bars et la petite promenade du bord de mer étaient encore peu fréquentés. Il prit un escalier tournant le dos aux bars et se retrouva dans une impasse étroite qui montait raide. « La señora Mende

189

habite un peu à l'écart, tout en haut », avait dit le portier, et Robert gravit lentement la colline. La maison à un seul étage n'avait rien d'imposant, côté rue. Mais quand il s'en éloigna et la regarda de côté, Robert vit l'éclairage de la terrasse qui semblait flotter au-dessus de la mer et distingua l'étage supplémentaire construit dans le rocher. Il était encore là, plongé dans ses pensées, quand une femme portant un panier sortit de la maison. Elle s'immobilisa près de la porte en fer forgé, le regarda avec méfiance et lui demanda en espagnol sur un ton tranchant ce qu'il faisait là. Il avait prévu de ne voir Mme Mende que le lendemain, après en avoir informé Michael Dollinger, mais il se décida spontanément. Il rejoignit la femme, se présenta et chercha les quelques mots d'espagnol qu'il connaissait. Puis il renonça et dit en allemand qu'il aimerait parler à Mme Mende.

— Il est tard, dit la femme sur un ton de reproche.

Robert acquiesça.

— Oh, pas forcément aujourd'hui, mais peut-être aurait-elle un peu de temps demain.

Elle s'enquit une nouvelle fois de son nom, puis retourna dans la maison. Près de dix minutes s'écoulèrent et il songeait déjà à partir quand la porte s'ouvrit et que la femme lui fit signe d'approcher.

Elle le précéda dans un vaste hall d'entrée au fond duquel quatre marches de marbre joliment torsadées menaient à une grande pièce. Des antiquités de valeur et des meubles modernes aux lignes épurées se côtoyaient avec sobriété. Une large baie vitrée s'ouvrait sur une terrasse dont une partie était couverte par un auvent.

Therese Mende était assise dans un délicat fauteuil Chippendale. Vêtue d'un pull gris tourterelle à col roulé et sans manches et d'un pantalon de couleur claire, elle semblait figée. Robert se présenta, mais elle n'eut aucune réaction ; elle resta assise sans bouger et le regarda fixement. Il crut se trouver face à une femme mentalement affaiblie par l'âge et regretta aussitôt d'avoir entrepris ce voyage. Il s'en voulait d'avoir été aussi curieux, et les soupçons qu'il avait eus lui parurent soudain parfaitement ridicules.

Elle se leva lentement et vint vers lui en se tenant bien droite.

— Monsieur Lubisch, veuillez m'excuser. Je ne voulais pas paraître impolie.

Sa voix était rauque, et la main qu'elle lui tendit, fraîche et osseuse. Puis elle se racla la gorge et ajouta d'un ton ferme et neutre :

— Que puis-je faire pour vous ?

Dans l'avion, il avait réfléchi à ce qu'il voulait lui dire, mais à présent, il se sentait pris au dépourvu et ne savait plus par quoi commencer. Il décida d'y aller carrément.

— Madame Mende, je suis venu vous voir parce que je suis à l'origine de quelque chose qui vous concerne. Est-ce que le nom de Rita Albers vous dit quelque chose ?

Il ne décela aucune réaction sur son visage. Elle resta silencieuse quelques instants, repoussa une mèche de ses cheveux blancs qui lui arrivaient au menton et demanda :

— Puis-je vous offrir quelque chose ? Un verre de vin ? Un whisky… ou plutôt un café ?

Il se décida pour du vin blanc. Elle prit une étole en laine sur le dossier d'un fauteuil, s'en couvrit les épaules et lui demanda de la suivre à l'extérieur. Au bout de la terrasse se trouvaient deux fauteuils en rotin. Il ne s'était pas trompé. Cet espace ouvert était une véritable fenêtre sur la mer posée en haut d'un tremplin de pierre. La vue dégagée sur la mer et la baie était impressionnante. Ils écoutèrent un moment en silence les vagues qui bruissaient doucement et régulièrement, loin en contrebas.

La gouvernante plaça une petite table entre les deux fauteuils en rotin, y posa des verres, une cruche d'eau, et servit du vin blanc de Majorque. Therese Mende lui dit en souriant :

— Inutile de rester, Luisa. M. Lubisch et moi allons sûrement nous entretenir un bon moment, ne vous inquiétez pas.

Luisa jeta un coup d'œil critique à Robert Lubisch, puis elle prit congé.

Le long des murs, à droite et à gauche de la terrasse, des lampes basses à abat-jour diffusaient une lumière dorée et douce sur le carrelage du sol. Une fois qu'ils eurent entendu la porte se refermer, ils s'assirent, et Therese Mende dit tranquillement, comme si elle se parlait à elle-même :

— Mme Albers m'a appelée peu de temps avant sa mort. Elle avait découvert que j'avais été mariée à Wilhelm Peters et qu'on m'avait soupçonnée de meurtre.

Elle le regarda.

— Vous le saviez ?

Robert hocha la tête. Elle poursuivit d'une voix fêlée :

— Vous dites que vous êtes à l'origine de cette affaire, j'ai donc raison de supposer que c'est vous qui lui avez donné la photo ?

Il acquiesça une nouvelle fois en silence. Therese eut un sourire amer.

— J'ai toujours su que mon passé finirait par me rattraper. Ça m'a préoccupée toute ma vie, depuis que je suis partie, à l'époque. J'ai toujours eu comme une certitude que cela arriverait un jour.

Elle frissonna, resserra l'étole en laine autour de ses épaules, puis reprit d'une voix ferme :

— J'ai dit à Mme Albers que je lui enverrais mes avocats si elle osait publier des demi-vérités. Mais elle était journaliste, et je savais qu'elle n'abandonnerait pas.

Elle s'éclaircit la voix.

— Mais parlez-moi d'abord de vous.

Robert raconta l'histoire de son père, parla de sa mort et de l'héritage, de la photo, et expliqua comment il avait atterri chez Rita Albers.

— Voyez-vous, conclut-il, la police semble penser que j'ai quelque chose à voir avec la mort de Rita Albers. Ce n'est pas vrai, je ne l'ai pas tuée. Mais si sa mort a vraiment un rapport avec cette photo, je me sens tout de même responsable.

Therese Mende sourit en regardant la mer, puis elle dit tranquillement :

— Et maintenant, vous aimeriez savoir si moi, j'ai quelque chose à voir avec tout ça.

Robert Lubisch se tut un moment, puis demanda :

— Cela vous semble tellement incongru ?

Elle le regarda. Dans son visage hâlé, les rides autour de ses yeux bleus semblaient plus claires.

— Non, ce n'est sans doute pas incongru. J'ai déjà été soupçonnée de meurtre une fois.

— Savez-vous comment mon père est entré en possession de cette photo ? Je veux dire, l'avez-vous connu ?

Un court silence suivit. Elle ne répondit pas à sa question, mais demanda :

— Avez-vous un peu de temps devant vous ?

Il lui dit qu'il ne partirait que le dimanche. Il sentait l'inquiétude le gagner, il avait le pressentiment que les choses, désormais, lui échappaient.

Therese Mende lui parla de sa jeunesse dans le Rhin inférieur, de ses parents, de ses amis et de la guerre. Parfois, elle s'interrompait pendant de longues minutes et regardait la mer comme pour y pêcher les mots justes. Et quand elle parla de Jurij, le prisonnier de guerre, il crut reconnaître sur son visage l'expression qui l'avait tant touché sur la photo. Elle lui parla de son amour pour cet homme, et de sa fuite.

Il était bien plus de minuit quand elle ferma les yeux et dit, l'air épuisé :

— Je suis fatiguée. Revenez me voir demain matin, disons, vers les dix heures.

Ils avaient bu toute l'eau et terminé le vin ; ils rapportè-rent ensemble la cruche, la bouteille et les verres dans la cuisine. Robert la remercia pour la franchise avec laquelle elle lui avait raconté son histoire.

— Avec le temps, j'ai cru que j'avais pris mes distances avec tout cela, dit-elle doucement. Quand je suis partie, en décembre 1950, je ne désirais qu'une chose : oublier ! Com-mencer une nouvelle vie. Mais on n'oublie pas. On met ces années entre parenthèses, et tout ce qui reste, c'est une tris-tesse inexplicable qui vous envahit par moments.

33

24 avril 1998

Il s'adressa à Lilli, mais elle détourna la tête, vexée : à son arrivée il avait ignoré les petits coups sans équivoque qu'elle donnait dans son écuelle. Il prit un sablier sur l'étagère et s'assit sur la banquette de la cuisine. Il possédait une cinquantaine de sabliers. Les pièces les plus belles et les plus chères étaient exposées dans la vitrine du salon. Il en avait de toutes sortes : en bois de merisier, en argent, en laiton, avec des figurines sculptées ou délicatement peintes. Il avait acheté l'un d'eux en Angleterre, un petit sablier de couleur dorée dont le sable s'écoulait en trois minutes et qui servait à mesurer la durée d'infusion du thé.

Celui qu'il tenait dans ses mains était en marbre, mesurait dix centimètres de haut, et son sable s'écoulait en quinze minutes. Il aimait regarder le temps passer de cette manière visible et silencieuse. Marlen se glissa vers lui, posa ses pattes de devant sur sa cuisse et l'observa attentivement de ses yeux verts. Il lui caressa la tête.

— Peut-être que les gars de la brigade criminelle ont raison, et que c'était un crime passionnel. C'est peut-être moi qui me trompe.

Marlen s'enroula sur ses genoux.

— Ce Gerhard... Quand Therese Peters disparaît, il fait semblant de la chercher, puis il classe le dossier. Ça l'arrangeait bien de la voir disparaître, j'en suis sûr.

Marlen miaula, et il caressa son poil roux tigré.

— Tu es une jeune fille intelligente !

Lilli tourna la tête, regarda Karl d'un air de reproche, puis ferma les yeux avec ennui comme pour dire : « Lèche-bottes ! » Karl ne se laissa pas démonter.

— Et Paul dit que Gerhard a quelque chose à se reprocher.

Il posa Marlen à côté de lui, sur la banquette, et se leva. Dans le cellier, il ouvrit une boîte de nourriture pour chat. Lilli et Marlen sautèrent au sol et se mirent à tourner en rond nerveusement, la queue dressée, devant leurs écuelles.

— Si ce Wilhelm a été tué, à l'époque, et si c'est sa femme qui a fait le coup, où est-ce qu'elle a caché son corps ? Le rapport de police dit que le terrain a été fouillé, mais la maison du gardien est isolée au milieu des prés et des champs.

Il remplit les deux écuelles. Quand il leva les yeux, la moitié des minuscules grains de temps se trouvait déjà dans le cylindre de verre inférieur. Il avait déniché ce sablier chez un antiquaire de Nimègue, et quand il l'avait retourné au bout de quinze minutes, le vendeur avait dit :

« Et voilà le temps qui fait marche arrière. »

Le sablier n'avait rien de spécial, et peut-être ne l'avait-il acheté que parce que cette remarque lui avait plu. En le reposant sur l'étagère, il eut une soudaine inspiration.

— Vendredi. C'est vendredi, aujourd'hui.

Puis il s'adressa à ses chats sur un ton de reproche :

— Pourquoi vous ne me dites rien ?

Il prit sa veste et quitta la maison à la hâte. Avec un peu de chance, Paul serait encore à l'auberge Zur Linde. Et sans Hanna !

L'auberge était pleine. À la table des habitués, une grande et vieille table en chêne, on jouait au skat, le comptoir était pris d'assaut, et dans la petite salle voisine quelques jeunes jouaient au billard. Au-dessus de la table des habitués, la fumée épaisse des cigares s'amassait sous une lampe au large abat-jour en laiton. Derrière le comptoir se trouvait un buffet en partie vitré. Des médailles et des coupes du club de tir local ornées de rosettes et de rubans y étaient exposées.

Paul était assis seul, comme toujours, à une petite table juste à côté du bar. Il lui arrivait de se mêler aux discussions, mais la plupart du temps, il se contentait d'écouter les autres parler et de boire deux ou trois bières avant de rentrer chez lui. Karl frappa sur le comptoir et dit :

— 'Soir tout le monde.

Puis il commanda une Alt.

Lothar, l'aubergiste, commença tout de suite à lui parler du meurtre, mais sans prononcer le mot. Il disait : « La femme qui est morte ». Karl se souvint du dicton : « Celui qui s'expose au danger mourra par le danger » et trouva que Lothar avait choisi une formulation intéressante.

— Allez, dis-nous. Vous avez déjà arrêté quelqu'un ? C'est un type du coin ?

— Tout vient à point à qui sait attendre, dit Karl pour esquiver la question, puis il regarda Paul.

Schwers, le peintre en bâtiment, s'en mêla :

— C'était un cambriolage, alors, ou pas ?

Karl haussa les épaules.

— C'est possible. Je ne suis pas en charge du dossier.

Les jeunes qui jouaient au billard se mirent à brailler et Sebastian vint au comptoir.

— Six vodkas sur la note de Marius, dit-il avec un large sourire.

Quand il vit Karl, il le salua brièvement et détourna le regard.

197

Sebastian avait déjà fait pas mal de conneries. À quatorze ans, il était entré par effraction dans son école, puis s'était livré à un trafic de téléphones portables de provenance inconnue, et récemment, il avait volé une voiture. Karl se surprit à penser : « Et si c'était vraiment un cambriolage qui aurait mal tourné ? »

Il observa Sebastian glisser adroitement les pieds des six verres à eau-de-vie entre ses doigts effilés tout en évitant soigneusement son regard. Non, non, le gamin se serait sauvé, il n'aurait jamais tué une femme en la frappant par-derrière. Il prit son Alt et s'assit à la table de Paul.

— Je suis passé chez Theo Gerhard, dit-il sans ambages.

Paul ne le regarda pas, continuant à fixer son verre de bière.

— Il a dit que Therese Peters était une traînée et lui un homme tout ce qu'il y a de respectable, qui n'avait jamais fait que son devoir. Rien à signaler pendant la guerre. Il dit qu'il n'a rien à se reprocher, sinon, il n'aurait jamais pu réintégrer la police, ensuite.

Paul leva les yeux et regarda Karl d'un air indifférent.

— Il dit ça ? Bon, ben...

— Bon sang, Paul, si tu sais quelque chose... Je veux dire, franchement, tu crois que Gerhard a quelque chose à voir avec la mort de Mme Albers ?

— Je ne sais pas.

Le regard de Paul alla se poser sur la table des habitués.

— Ça se pourrait.

Il but un peu de bière.

— La table, là-bas, elle est plutôt vieille, tu sais. Il y a quatre ans, Lothar a fêté les cent ans de l'auberge, et la table a sans doute le même âge... Ils y étaient toujours tous installés. J'avais huit ou neuf ans, alors, et mon père m'emmenait parfois ici. Gerhard et Peters étaient assis là, avec Hollmann et tous les autres dans leurs beaux uniformes. Ça m'impressionnait. Les épaulettes, les boutons brillants et les pistolets à la ceinture.

Karl se taisait. Hermann Gärtner frappa sur la table des habitués et abattit ses cartes.

— Le reste est à moi ! lança-t-il triomphalement de sa voix haut perchée si peu virile.

— On avait deux prisonniers de guerre, à la ferme, et Peters venait régulièrement les contrôler. Il semblait respecter mon père ; en tout cas, il lui passait certaines choses. Les Russes mangeaient à notre table, et en hiver, mon père les laissait dormir dans la maison. Peters le savait, mais il ne nous a jamais dénoncés.

Paul eut un rire bref.

— Ce n'est que des années après la guerre que j'ai appris que le passeport aryen de Wilhelm était trafiqué. Sa mère, Elisabeth, était née dans une ferme voisine. Son père, c'était le fermier, et il l'avait adoptée, mais la mère, c'est-à-dire la grand-mère de Wilhelm, était une servante, et clairement pas d'ascendance aryenne. Sur le passeport des ascendants de Wilhelm, on avait fait passer Elisabeth pour la fille légitime du fermier. Alors, quand Peters et Gerhard ont salement amoché l'un des Russes, mon père est allé à l'hôtel de ville pour dire à Wilhelm Peters : « Si tu tiens à rester aryen, je te conseille de ne plus jamais toucher à mes ouvriers. »

Il se tut et fit tourner son verre vide par le pied dans un sens et dans l'autre, puis il secoua la tête d'un air résigné.

— Quand je rentrais de l'école, Peters s'arrêtait souvent pour m'emmener dans sa grosse voiture. Il me hélait : « Paul, je vais chez vous, je t'emmène ? » Les autres garçons m'enviaient. J'étais fier comme Artaban.

Il leva son verre et regarda Lothar, qui lui fit un petit signe de tête.

— En automne 1943, on est venu chercher les Russes. Je ne savais pas pourquoi, et quand je posais des questions, Hanna et le père me disaient simplement : « Ça ne te regarde pas, bout de chou. » J'ignorais que Therese aussi avait été arrêtée. Ça faisait plusieurs jours que je ne l'avais pas vue, et quand j'ai demandé à Hanna pourquoi, elle m'a répondu qu'elle était en voyage. Un jour, Wilhelm Peters m'a fait monter dans sa voiture alors qu'il n'allait pas chez nous. Il m'a demandé si j'avais vu l'un des Russes avec Therese, et affirmé qu'il était de mon devoir de patriote de tout lui dire. Therese fricotait avec l'ennemi et trahissait son peuple et sa patrie. Des individus comme elle mettaient en danger la victoire finale, et je rendrais un grand service à l'Allemagne si j'avais vu quelque chose.

Lothar apporta la bière et traça un petit trait sur le sous-bock, et Karl lui commanda une autre Alt. Paul se pencha, poussa son verre sur le côté, prit son sous-bock et le fit tourner entre ses mains.

— Je lui ai dit que je les avais parfois vus à l'orée de la forêt et qu'ils s'enlaçaient et s'embrassaient.

Il cassa le sous-bock en deux et regarda Karl.

— Il m'a félicité, m'a dit qu'il s'agissait d'une chose importante et secrète et que je ne devais en parler à personne.

Il baissa les yeux et hocha la tête.

— Et moi, je me suis pris pour un héros. Moi, le petit Paul, je partageais un secret de la plus haute importance pour le pays avec le Scharführer SS Peters.

Lothar apporta l'Alt de Karl et jeta un coup d'œil réprobateur aux mains de Paul, qui continuaient à déchiqueter le sous-bock.

— Mais qu'est-ce que tu fabriques ? Comment veux-tu que je fasse ton addition si tu déchires ton sous-bock ?

— Trois, dit Paul en levant les yeux vers Lothar.

— Je sais, grogna celui-ci.

Il traça trois traits sur un nouveau rond à bierre et le poussa au bout de la table, hors de portée de Paul.

Cela faisait quelques minutes que Lothar était de retour derrière son comptoir, mais Paul se taisait toujours.

— Qu'est-il arrivé à Therese ? essaya Karl prudemment.

— On l'a libérée au bout de quelques jours. Gerhard l'avait battue presque à mort pendant les interrogatoires.

Il repoussa les morceaux de sous-bock.

— Elle ne l'a jamais dit. Elle n'a jamais dit qu'elle savait que je l'avais dénoncée.

Karl mit un moment avant de dire :

— Je ne comprends pas. Elle le savait et elle l'a épousé malgré tout ?

Paul secoua la tête.

— Elle a su que je l'avais dénoncée. Mais elle pensait que j'en avais parlé à Gerhard. Elle n'a compris que bien plus tard le rôle de Wilhelm dans cette histoire.

Karl perdait difficilement son calme, mais à présent, il sentait une légère nervosité le gagner.

— Alors elle l'a vraiment fait ? C'est elle qui a tué Wilhelm Peters ?

Paul attrapa le sous-bock qui se trouvait au bout de la table et fit un signe à Lothar. Il régla et Karl s'empressa lui aussi de poser de l'argent sur la table.

Karl, qui était venu à pied, raccompagna Paul jusqu'à sa vieille Mercedes.

— Elle l'a fait ? essaya-t-il une dernière fois.

Paul ouvrit sa voiture et secoua la tête lentement. Karl ne comprit pas s'il venait de lui répondre ou s'il lui signifiait qu'il refusait de répondre.

34

25 avril 1998

Bien qu'elle eût pris un somnifère, Therese Mende avait une fois de plus passé une mauvaise nuit. Elle n'avait réussi à s'endormir qu'au petit matin, et son sommeil avait été brumeux et hanté par les souvenirs. Des images déchirées et sans lien apparent s'étaient succédé et l'avaient déclarée coupable.

À son réveil, l'expression « réduire au silence » s'était mise à l'obséder. Et dans la salle de bains, devant la glace, elle l'utilisa pour la toute première fois, non plus pour qualifier son passé, mais pour elle-même. « Je me suis réduite au silence ! » murmura-t-elle à son reflet, et ces mots la frappèrent avec une telle force qu'elle en vacilla.

Tillmann connaissait son histoire et sa mort avait été d'autant plus cruelle, le vide qu'il laissait derrière lui d'autant plus grand, qu'elle portait à présent de nouveau seule le poids de sa faute.

Une douleur mordante dans sa poitrine se propagea à son bras gauche et lui coupa le souffle. La pensée que sa fille pourrait, comme Robert Lubisch, se mettre innocemment en quête d'informations après sa mort et constater qu'elle lui avait menti toute sa vie lui devint soudain insupportable. Et que trouverait-elle ? Les débris d'un temps révolu et décomposé, transmis par des gens qui s'étaient eux-mêmes innocentés.

Elle prit une pilule pour le cœur, et après le petit déjeuner, elle se sentit plus forte.

Robert avait lui aussi peu dormi, mais il fut ponctuel. Therese le pria de l'accompagner dans sa promenade quotidienne. Ils descendirent la rue étroite et elle s'enquit de sa vie à Hambourg. Il raconta de bonne grâce, parla de sa femme, Maren, de son travail à l'hôpital, de son père et des conflits qui les avaient opposés quand il avait décidé de ne pas lui succéder à la tête de l'entreprise et de devenir médecin.

— Aujourd'hui, je pense qu'il a toujours été un étranger pour moi. Enfant, je recherchais sans cesse sa présence, son affection. Je voulais lui plaire. Plus tard, j'ai cessé de faire des efforts, sans doute parce qu'ils étaient restés infructueux, et je crois bien qu'il n'a commencé à m'accorder son attention que quand je me suis détourné de lui.

Sur la plage, les premiers baigneurs se regroupaient, étendaient serviettes et couvertures, gonflaient les petits brassards orange aux bras des enfants, trempaient leurs pieds dans l'eau pour en tester la température et les en ressortaient en frissonnant.

Quand ils eurent laissé la baie derrière eux, Therese reprit soudain son récit du soir précédent.

1943-1944

Les jours passaient et Jurij ne donnait aucun signe de vie. Wilhelm venait la voir, mais il était réservé et n'évoquait pas sa promesse de mariage. Elle évitait de lui parler de Jurij, et ne lui dit pas qu'elle l'avait revu une dernière fois. Mais au bout de deux semaines sans nouvelles, elle n'y tint plus.

Ils marchaient l'un à côté de l'autre dans le village. C'était la mi-novembre.

— J'ai peur. Ils le cherchent sûrement. S'ils l'avaient pris, tu le saurais, non ?

Elle avait enfoui ses mains dans les poches de son manteau. Wilhelm poussait la bicyclette de Therese d'une main et avait passé son autre bras autour de ses épaules.

— Ils ne l'ont pas pris parce que personne ne le cherche, dit-il, et il ajouta tout naturellement : dans le rapport officiel, il est écrit que Jurij a pu se libérer, et que Gerhard l'a arrêté et abattu tout près de la voiture.

Il s'immobilisa et la regarda.

— Il ne l'a pas tué, bien sûr. Le mort était un autre homme.

Les mains de Therese se crispèrent dans ses poches. Elle fixait le sol sans oser regarder Wilhelm, et entendait au loin la voix de Jurij lui dire : « Un autre prisonnier se trouvait aussi dans la voiture. »

Therese Mende et Robert Lubisch s'assirent sur un banc installé au bord du chemin pour permettre aux promeneurs de se reposer et d'admirer le panorama.

— Voyez-vous, il en va ainsi de la vérité, dit Therese. Je pourrais vous dire que je désirais simplement sauver la vie de Jurij, et ce serait la vérité. Je pourrais vous dire que cet autre homme aurait été tué de toute manière, et ce serait sans doute aussi une vérité. Mais il est tout aussi vrai que quand j'ai demandé qu'on laisse la vie sauve à Jurij, j'ai provoqué la mort d'un autre homme.

Robert Lubisch se pencha et appuya les coudes sur ses genoux. Ils regardèrent la mer. Quand Therese reprit son récit, elle parlait à voix basse et ses mots se mêlaient au bruissement rythmé des vagues.

Therese et Wilhelm n'abordèrent plus jamais le sujet, et la vie continua comme si de rien n'était, ce qui la rendait par moments à peine supportable pour Therese. Elle continuait d'attendre des nouvelles de Jurij, qu'elle pensait en Hollande, mais les seules lettres qui lui parvenaient étaient celles du caporal basé en France. Fin 1943, elle lui écrivit une dernière lettre. Elle le remercia pour la peine qu'il s'était donnée et lui expliqua que les choses avaient changé et qu'il n'avait plus besoin de lui écrire.

Pendant qu'elle était en prison, le père d'Alwine était mort sur le front de l'Est, et Alwine était inconsolable. Quand Therese vint lui présenter des condoléances tardives, Mme Kalder la reçut et lui demanda d'excuser sa fille. Alwine s'enferma chez elle, évitant non seulement Therese mais refusant aussi de parler à Wilhelm. Peu avant Noël, alors que dans les fermes et sur la propriété Kalder, le dernier bétail avait été réquisitionné, elles se rencontrèrent par hasard dans la rue. Alwine était méconnaissable. Elle avait beaucoup maigri, ses yeux étaient éteints, et sa bouche bien dessinée, que Therese avait toujours connue souriante, ne formait plus qu'une ligne mince et aigrie. Elles se tenaient l'une en face de l'autre comme des étrangères. Alwine dit, comme se parlant à elle-même :

— Après Noël, nous partirons vivre dans notre famille du sud de l'Allemagne. Tant que la guerre durera, un administrateur s'occupera du domaine.

Et elle ajouta brusquement :

— Alors, tu vas l'épouser ?

Therese baissa la tête, honteuse. Sur un ton hésitant et mal assuré d'abord, puis plus rapidement et en émaillant ses propos d'excuses, elle fit à Alwine le récit des événements survenus après son arrestation. Alwine l'interrompit en sifflant entre ses dents :

— Tu mens, Therese. Pourquoi me mens-tu ? Gerhard m'a dit que vous alliez vous marier avant même que tu ailles en prison.

Puis elle fit demi-tour et s'éloigna. Therese resta un long moment immobile dans le froid. Quand elle se remit enfin en marche, ses membres étaient raides, et elle rentra chez elle, les jambes tremblantes. Le soupçon qui germa alors dans sa tête et se mit à y occuper de plus en plus de place lui paraissait abominable.

Wilhelm l'avait invitée au restaurant à Kleve le lendemain soir. Elle avait décidé de ne le questionner qu'une fois là-bas, mais n'y tenant plus, elle lui demanda en cours de route :

— Pourquoi Theo a-t-il dit à Alwine avant mon arrestation que nous allions nous marier ?

Wilhelm réagit immédiatement. Il sourit avec insouciance.

— Ah ! Theo... Il n'a pas compris pourquoi je n'exauçais pas le désir d'Alwine. Pourquoi je ne la demandais pas en mariage.

Puis il se gara à droite de la route et regarda Therese. Il lui caressa le visage.

— Je lui ai dit que je n'épouserais qu'une seule femme, et que c'était toi.

Il soupira.

— Theo est un rustre. Il l'a dit à Alwine.

Comme elle avait été soulagée ! Son soupçon lui parut soudain absurde. « C'est à cause des soucis que je me fais pour Jurij, se dit-elle. Je me fais tellement de soucis pour Jurij que je finirai par en perdre la raison. »

Robert Lubisch et Therese Mende poursuivirent leur chemin. Ils atteignirent l'endroit où le chemin descendait vers la baie voisine et se faisait plus étroit. Ils furent obligés de marcher l'un derrière l'autre. Le soleil était haut et blanc dans le ciel, le vent doux et salé venant de la mer apportait une agréable fraîcheur. Juste derrière la petite plage commençait une forêt de pins. Ici, pas d'hôtel ou de résidence de vacances, mais une simple baraque provisoire en planches qui faisait office de bar et quelques rares baigneurs. Therese se tourna vers Robert Lubisch.

— Ils font un excellent café, dit-elle en souriant, et elle se dirigea droit vers une table sous un parasol en paille.

Le jeune homme derrière le bar la salua d'un signe de la main et apporta, sans attendre de commande, deux doubles expressos et une carafe d'eau.

Le parfum des pins se mêlait à l'odeur salée de la mer. Il régnait en cet endroit un silence agréable, et Robert eut l'impression que le temps s'y écoulait plus lentement, plus posément. Il regarda Therese droit dans les yeux et lui posa la question qui le préoccupait depuis la veille :

— Ce caporal, commença-t-il prudemment. Ce caporal qui vous écrivait de France, il s'appelait Friedhelm Lubisch, n'est-ce pas ?

Elle évita son regard mais eut un petit signe de tête affirmatif. Il fut pris d'un frisson en posant la question suivante, mais elle découlait tout naturellement de la première :

— Vous a-t-il rendu visite ? Mon père est-il venu à Kranenburg après la guerre ?

Therese Mende remua son café.

— Laissez-moi vous raconter les choses dans l'ordre, dit-elle avec peine, en tapotant sa main pour le consoler.

Au printemps 1944, seuls les incorrigibles croyaient encore à la « victoire finale ». Partout on parlait à voix basse d'une arme miracle, une arme miracle qui renverserait le cours des choses. Mais tous les jours, des familles recevaient la nouvelle de la mort de maris, de fils et de frères. La mort était devenue normale. Therese n'avait plus qu'un souvenir très vague de ces mois. À cette époque, elle courait d'un jour à l'autre, aveugle et sourde à tout ce qui l'entourait. Le soir, après le travail, elle s'empressait de rentrer, sur son vélo, mue par une seule et même pensée : « Aujourd'hui ! Aujourd'hui, j'aurai des nouvelles de Jurij ! »

Son travail quotidien à l'usine, les rendez-vous avec Wilhelm, les tâches à accomplir à la maison et au jardin, tout

207

cela n'était que des gestes et des paroles qui se succédaient inéluctablement, un univers d'ombres qui survivait derrière son espoir de recevoir un signe de vie de Jurij.

Mais l'espoir s'amenuisait, s'écoulant sans bruit par-dessus le bord de ces jours émoussés. D'abord au cours des nuits, quand elle comptait sur ses doigts les semaines écoulées, puis lors des dimanches à l'église, quand elle demandait pardon à Dieu pour avoir acheté la vie de Jurij avec la mort d'un autre, et pour finir en plein jour, quand elle émergeait en sursaut de son état de transe, soudain certaine que Jurij se serait manifesté depuis longtemps s'il était encore en vie.

Therese murmura en regardant sa tasse :

— Le pire, c'était de voir son souvenir s'estomper. Les traits de son visage, sa silhouette, son sourire, sa façon de marcher, tout cela fondait comme neige au soleil. Seule sa voix m'est restée. Aujourd'hui encore, je peux l'entendre rouler le « r » de mon nom.

Quand vint l'été et que tous les hommes qui pouvaient encore l'être avaient été incorporés, les drapeaux rouges à croix gammée pendaient décolorés et tristes devant l'hôtel de ville, et le front de l'Ouest se rapprochait inexorablement. Alors, elle avait traversé les jours d'un pas lourd et lent, et quand les sirènes de l'usine retentissaient et que tout le monde se précipitait dans la cave, elle se levait doucement et déambulait dans les hangars vides en pensant : « Maintenant. Enfin, maintenant. »

En août, le front s'était déplacé jusqu'à Eindhoven, et la nuit, l'horizon s'illuminait d'un halo rouge. Le grondement des armes ressemblait à un orage lointain sous un ciel clair et étoilé. Son père ne rentrait plus à la maison, il vivait au lazaret, et sa mère, c'est du moins ce qu'il lui semblait, à l'église.

Wilhelm, qui organisait le front patriotique, lui dit un vendredi :

— S'il te plaît, Therese, marions-nous. Tu me l'as promis, et je t'ai laissé presque un an. Maintenant, je ne veux plus attendre.

Alors, elle avait acquiescé. Elle avait acquiescé parce qu'il avait tout fait pour sauver la vie de Jurij. Elle avait acquiescé parce qu'elle le lui devait. Elle avait acquiescé parce qu'une vie après la guerre était impensable.

Therese poussa sa tasse vers le milieu de la table.

— Nous nous sommes mariés le 25 août 1944 à l'hôtel de ville. Ce ne fut pas une grande cérémonie. Ma mère et les parents de Wilhelm y ont assisté. Martha et une dame du service de l'état civil nous ont servi de témoins.

Elle se tut longuement. Puis elle passa la main sur la table, comme si elle voulait effacer ce souvenir, et se leva. Robert en fit autant et se dirigea vers le bar pour payer. Therese le retint.

— Non, non, je prends un café ici tous les jours et je règle la note en fin de mois.

Quand ils prirent le chemin du retour, Robert demanda :

— Votre père n'a pas assisté à la cérémonie ?

— Non, dit-elle en secouant la tête. Je suis allé à Bedburg-Hau et j'ai demandé à le voir. On a simplement pu me dire qu'il était dans l'un des nombreux lazarets provisoires installés dans les écoles, les restaurants et les bâtiments publics. Je ne l'ai pas trouvé.

Elle s'interrompit brièvement.

— Je crois bien que je n'ai pas voulu le trouver.

35

25 avril 1998

Le poste de police était habituellement fermé le samedi, mais Karl y arriva tout de même vers neuf heures. Quand, au cours de la nuit ou du week-end, il se passait quelque chose dans son secteur, les appels étaient automatiquement transférés vers le commissariat principal de Kleve. Karl les contacta pour un rapport. Sa collègue l'informa que, tard le soir, le petit Moritz Geerkes, âgé de huit ans, avait disparu, mais avait été retrouvé trois heures plus tard dans le parc, avec un ami. On avait signalé un vol de voiture. « Mais sinon, tout était calme », dit-elle avant de raccrocher.

Puis Karl contacta le commissariat de Kalkar et joignit Werner Steiner.

— Ça se complique, dit celui-ci. L'ex-mari de Rita Albers est hors de cause, il a un alibi en béton.

Karl entendit Steiner taper énergiquement sur le clavier de son ordinateur, puis s'arrêter et dire :

— La police scientifique a relevé sur le bureau des empreintes digitales que nous ne pouvons pas identifier. Nous avons besoin des empreintes des deux jardiniers qui ont trouvé le corps pour pouvoir procéder à des comparaisons. Comme tu es au bureau aujourd'hui, tu pourrais peut-être t'en occuper ?

Karl réfléchit brièvement, puis accepta.

Il appela l'entreprise paysagiste Schoofs. Les deux employés étaient là.

— Qu'est-ce que tu leur veux ? demanda Matthias Schoofs.

— Leurs empreintes digitales, répondit Karl. Nous en avons trouvé, et maintenant, il faut qu'on sache si ce sont celles de tes collaborateurs ou peut-être du coupable.

— Ah, bon. D'accord, alors.

Schoofs promit d'envoyer ses employés au poste dans l'heure qui suivait.

Tout en prenant un sandwich au fromage et une tasse de café, Karl passa en revue la soirée avec Paul. Il avait toujours été un drôle d'oiseau. Karl était natif de Kranenburg, et déjà dans son enfance, les Höver avaient la réputation d'être des originaux. Il se souvenait du vieux Höver. Il était mort au début des années 1960, mais Karl se souvenait qu'il continuait à en imposer même dans son grand âge. La ferme avait été en partie détruite pendant la guerre, et les deux fils aînés enrôlés au début de la guerre étaient tombés. L'exploitation n'avait jamais pu être redressée, bien que le père, Hanna et Paul aient travaillé dur. Ils vivaient retirés, on ne les voyait que le dimanche à l'église, et après la mort du père, Hanna était partie à Kleve pour y devenir infirmière. Paul avait hérité de la ferme et épousé Sophia. Elle n'était pas agricultrice, et après deux fausses couches, définitivement incapable d'avoir des enfants, elle était restée fragile. Comme Paul ne suffisait pas à la tâche, il avait loué et vendu toujours plus de champs et de pâturages. « En mauvais état », disait-on autrefois quand on parlait de la ferme Höver.

C'était du moins les ragots que Karl avait entendus durant des années dans les cafés.

Au cours des années 1970 et 1980, beaucoup de gens s'étaient intéressés à la petite maison. Elle était bien située, et un bon bricoleur aurait pu la restaurer. Des gens de la Ruhr étaient venus la visiter et en avaient offert un bon prix, c'était du moins ce qui se disait à l'époque. Mais Paul n'avait pas vendu. Quand Rita Albers était apparue, il devait vraiment avoir le couteau sous la gorge pour accepter de signer un contrat de location.

Karl alla se planter à la fenêtre du poste et regarda le parking. Le tilleul, qui rafraîchissait agréablement le bureau en été, développait ses premières feuilles. Dans quelques jours, elles donneraient une couleur chartreuse à la lumière de la pièce. À cette période de l'année, il aimait passer du temps au bureau et s'asseoir le plus souvent possible devant la porte d'entrée. Un martinet s'envola en poussant un cri aigu quand une voiture ornée du logo de l'entreprise paysagiste Schoofs se gara sous le tilleul.

Klaus Breyer et Jan Neumann, vêtus de salopettes vertes, entrèrent en traînant les pieds. Pendant que Karl prenait les empreintes de Breyer, Jan pesta et demanda si elles seraient conservées et versées dans un quelconque fichier criminel. Van den Boom le rassura. Il appuya les doigts de Breyer sur le tampon encreur, puis sur une feuille, et demanda :

— Au fait, que faisiez-vous là-bas ? Je veux dire, quelle était votre mission ?

Jan se remit à gronder et dit en se tournant vers Klaus Breyer :

— Tu vois, je te l'avais bien dit. S'ils ne trouvent pas le gars qui a fait ça, on en fera les frais. C'est comme ça qu'ils font.

Van den Boom secoua la tête.

— Voyons, jeune homme, calmez-vous. Personne ne vous soupçonne. Je voulais simplement savoir si vous deviez planter des fleurs, tailler des arbres ou tondre la pelouse.

Breyer s'essuya les doigts avec un mouchoir en papier.

— C'était à cause du puits. Nous devions creuser un nouveau puits.

Van den Boom fit signe à Jan de s'approcher. Celui-ci hésita à lui confier ses doigts.

Quand les deux hommes eurent quitté le poste, Karl décida d'aller porter lui-même les empreintes à Steiner. Il profiterait du trajet pour réfléchir tranquillement. Ce que les jardiniers venaient de dire lui trottait dans la tête, et il voulait en parler à Steiner.

36

25 avril 1998

Therese invita Robert à prendre une collation et ils s'installèrent sous l'auvent de la terrasse. Luisa servit d'abord du xérès et, dix minutes plus tard, des champignons frits et des pimientos, du manchego avec des oignons rouges, des olives, du jambon serrano et une baguette. Ils mangèrent un moment en silence, et ces mets fins réjouirent le palais, la vue et l'odorat de Robert. Therese semblait plongée dans ses pensées, et Robert savait qu'il ne fallait pas la bousculer, qu'elle continuerait à raconter quand elle serait prête.

Il venait de se resservir un peu de manchego quand elle reprit son récit.

1944

L'enfer commença en septembre. Les troupes allemandes paniquées fuyaient la Hollande et repassaient la frontière. Tous ceux qui pouvaient manier la pioche ou la pelle furent appelés à se rassembler sur le terrain de sport et transportés en camion à la frontière pour creuser des fossés antichar. Therese travaillait aux côtés de Hanna et de son beau-père, le pharmacien Peters.

Le 17 septembre, le dimanche de la Sainte-Croix, une messe allait être célébrée le matin, suivie d'une procession l'après-midi. Therese et sa mère se rendaient à l'église en compagnie des Höver quand des chasseurs-bombardiers survolèrent la plaine à basse altitude en tirant avec leurs mitrailleuses de bord et en lançant des grenades. Quand le bruit des moteurs approchait, ils se jetaient dans les fossés qui bordaient les champs. La terre giclait autour d'eux et retombait en pluie noire sur le sol, et quand le staccato des mitrailleuses s'éloignait, Therese ressentait à chaque fois de l'hébétement, un moment de flottement sourd. Elle ne réalisait qu'elle était encore en vie que lorsque ses compagnons bougeaient aussi et rampaient hors du fossé. Non loin de Kranenburg, sa mère fut touchée par plusieurs balles. Elle ne pleura pas. Ses pensées se figèrent, bloquées par des « non », rien que des « non », comme si elle ne connaissait que ce mot-là. Puis ses membres se mirent à se mouvoir de manière instinctive, suivant des lois qui leur étaient propres. Avec l'aide de Höver, elle la porta jusqu'au mur de l'église et resta assise là, la tête de sa mère sur ses genoux. Elle la berçait, voyait le sang sur sa robe, se disait que c'était le sien, et entendait les chants dans l'église : « … Seigneur, nous te bénissons, nous célébrons tes louanges ! Éternel nous t'exaltons… »

Höver vint avec deux voisins. « Donne-nous ta mère », dit-il, et ils la lui prirent. Immobile, elle les regarda la porter vers la chapelle du cimetière en s'abritant derrière le mur de l'église. Elle vit les hommes se jeter à terre avec la morte quand de nouvelles rafales de mitrailleuses crépitèrent et vinrent frapper le mur. Puis elle vit le visage de Höver au-dessus d'elle. Il la souleva, et il lui aurait semblé normal qu'il la portât, elle aussi, dans la chapelle pour la

215

coucher à côté de sa mère. Mais il l'emmena à l'église et la fit asseoir sur le banc entre lui et Hanna. Hanna pleurait, et c'est seulement à la fin de l'office que Therese sentit un tremblement de plus en plus violent et incontrôlable l'envahir et la ramener à la réalité. Le lendemain, ils enterrèrent sa mère en toute hâte, avec quatre autres morts. Pas d'habit mortuaire, pas de cercueil avec coussin et couverture. Une simple caisse en bois brut, une petite prière, une bénédiction rapide.

Les jours qui suivirent furent pareils à des nuits. Le ciel était noir de la fumée des fermes, des villages, des forêts et des haies qui brûlaient. Le pays tout entier semblait en feu et hurler sa douleur d'un rouge flamboyant. Des soldats blessés ou mourants dans les maisons, des animaux crevés dans les champs et sur les routes, des terres retournées et rendues méconnaissables par les bombes, et des gens que les rafales des mitrailleuses, les bombes, les grenades et les avions avaient rendus sourds. En octobre, Kranenburg fut définitivement évacuée. Therese se rendit à Bedburg-Hau avec les Höver. Une carriole à chevaux, tirée par leur dernier bœuf, transportait les pauvres effets que les Höver possédaient encore. Therese n'avait qu'une valise. Hanna et elle firent office d'aides-soignantes, mais il n'y avait ni médicaments ni antalgiques, et leur rôle se limitait à tenir la main des mourants. Quelques jours plus tard, elle retrouva son père, et ne le reconnut pas tout de suite. Il n'était plus que l'ombre de lui-même, ses lunettes avaient été recollées avec du sparadrap et un verre en était cassé. Quand elle lui annonça la mort de sa mère, il ferma les yeux et hocha la tête en silence. Il ne posa aucune question. Il eut la même réaction le lendemain quand elle lui dit qu'elle avait épousé Wilhelm : il hocha la tête et lui caressa la joue d'un air absent. Il était exténué, la fatigue le dévorait de l'intérieur comme une flamme sous une cloche de verre consume le peu d'oxygène dont elle dispose encore.

Luisa vint débarrasser la table, et Therese lui demanda deux cafés. Elle se cala dans son siège et passa la main sur la table.

— Ce n'est qu'après la guerre, quand nous nous sommes rendus sur la tombe de ma mère, qu'il pleura et demanda ce qui s'était passé. Au cours de l'hiver 1944-1945, nous n'avions pas le temps d'avoir du chagrin, et je pense parfois que c'est là une des tragédies de cette guerre, et peut-être de toutes les guerres. Quand nous n'avons pas le temps d'être en deuil, nous perdons une dimension de notre humanité.

Luisa apporta le café dans deux jolies tasses en porcelaine blanche et posa un sucrier assorti sur la table. Robert mit une cuillerée de sucre dans son café. Dans la propriété voisine, un petit chien aboyait avec excitation.

Les Höver et Therese ne purent regagner la maison du gardien qu'au mois de mai. Ils recueillirent aussi les parents de Wilhelm, dont la maison et la pharmacie avaient brûlé. La paix. La paix était enfin venue, mais le mot était encore fragile. Alors qu'ils traversaient des villages en ruine, longeant des cratères de bombes et des arbres calcinés, elle ne comprit pas tout de suite ce qui se passait, mais les voix de ses compagnons, le bruit de leurs pas et le grincement des roues des charrettes à bras semblaient être les seuls bruits perceptibles. Ce n'est que le lendemain, quand elle se retrouva seule un moment, qu'elle comprit. Le silence était infini. Le ciel du printemps était haut et bleu, mais aucun oiseau ne l'habitait. On n'entendait même pas le cri des corbeaux, pourtant omni-présents d'habitude. Alors elle réalisa qu'elle guettait encore, qu'elle s'attendait encore à entendre des bombardiers approcher. Pendant des années, elle continua ainsi à guetter et à chercher, sous le chant des oiseaux revenus depuis longtemps, le grondement lointain de moteurs.

La ferme des Höver était très endommagée et la grange avait brûlé. Ils s'installèrent à six dans la maison du gardien.

Tôt le matin, ils allaient à la ferme pour déblayer et casser des pierres, et au bout de quatre semaines, Hanna, Paul et le vieux Höver purent s'installer dans la partie de la maison redevenue à peu près habitable. Wilhelm donna de ses nouvelles à la fin de l'été. Il avait été fait prisonnier par les Anglais. Mme Peters et son mari pleurèrent de joie dans les bras l'un de l'autre. Therese aussi se réjouit de le savoir en vie. Il écrivait : *Pendant la bataille du Reichswald, j'ai été brûlé aux bras et aux jambes, mais je suis en voie de guérison.* Et au dos de la feuille de papier grossier et gris, il se plaignait : *Beaucoup de soldats ont déjà été démobilisés, mais nous, les SS, on ne cesse de nous interroger. On nous accuse d'être des criminels de guerre et nous devons prouver où nous avons servi au cours de la guerre. Ils ne comprennent pas que nous n'avons fait que notre devoir.*

On donna quatre vaches faméliques aux Höver. Therese replanta un potager près de la maison, et quand son père rentra, elle s'occupa de lui. Elle le voyait faiblir à vue d'œil, comme s'il payait un tribut final aux efforts prodigieux qu'il avait faits. Ce n'est qu'en 1946, quelques jours avant sa mort, qu'il lui demanda pourquoi elle avait épousé Wilhelm. Elle le lui dit. Il lui caressa la joue de sa main maigre, couverte de veines bleues, et hocha la tête. Sa caresse avait été si douce, son regard tellement compréhensif, qu'elle y vit une sorte d'absolution. Trois jours plus tard, au petit matin, elle le retrouva mort dans son lit, et bien que la perte fût cruelle, elle éprouva aussi de la reconnaissance quand elle vit la paix sur son visage.

Ils le mirent en terre auprès de sa mère. Plus de cent personnes assistèrent à la cérémonie et lui présentèrent leurs condoléances. Y compris tous ceux qui les avaient évités, elle et ses parents, au cours des dernières années. Ils le firent tout naturellement, et Therese, qui avait hésité à serrer les premières mains qui se tendaient, se sentit mesquine, pensant qu'ils avaient tous pris un nouveau départ, sauf elle.

Le soleil avait traversé la baie, et les grands palmiers qui bordaient la propriété voisine projetaient leur ombre sur la partie découverte de la terrasse. Les fleurs des hibiscus, qui poussaient dans de grands pots en terre cuite, passaient du rouge orangé au rouge sang dans cette nouvelle lumière. Therese Mende se leva.

— Venez, allons nous installer à l'avant, près de la mer. Le soleil est moins chaud, et la brise nous fera du bien.

Debout à la balustrade, ils regardaient la mer. Le vent leur apportait les voix des baigneurs, et Robert avait parfois l'impression de distinguer un prénom.

— Quand je pense à la mort cruelle que des millions de gens ont subie à cette époque, mon histoire me paraît bien niaise. Mais le fait de savoir que d'autres ont souffert bien plus que vous ne vous ôte pas votre souffrance.

Elle se tut un instant et se passa la main gauche dans les cheveux comme si elle voulait effacer des pensées.

Alors elle serra toutes ces mains, écouta leurs condoléances, vit des yeux honteux éviter son regard, et pour la première fois de sa vie, elle songea qu'elle ne pouvait plus rester au village. C'était comme si ses pertes s'accumulaient entre tous ces gens. Sa mère, Leonard, Jacob, Jurij et son père. Même Mme Hoffmann, qui depuis la fin de la guerre vendait des denrées à des prix exorbitants à ceux qui ne possédaient pas de carte d'alimentation, lui présenta ses condoléances sans la moindre gêne. C'est tout naturellement qu'elle lui dit : « Cela me fait vraiment de la peine, ma petite. C'était un homme formidable. Sa mort est une perte pour nous tous, mais en ces temps difficiles, il faut aller de l'avant. » À la fin de l'enterrement, Theo Gerhard l'attendait devant le cimetière. Elle n'en crut pas ses yeux ; il portait le brassard de la police. Il lui dit que ce qu'il avait fait, il avait été obligé de le faire, le règlement exigeait qu'il traite ainsi les putes de l'ennemi

– il employa vraiment cette expression. Comme elle se taisait, il devint nerveux et dit à voix basse, avant de s'éloigner à grands pas :

— N'oublie pas que j'ai sauvé la vie du Russe.

Therese Mende repoussa une mèche de cheveux qui tombait sur son visage et regarda Robert Lubisch.

— Les parents de Wilhelm sont encore restés une bonne année dans la petite maison, puis ils sont partis rejoindre leur famille à Schwerte. Au printemps 1948, Wilhelm est rentré de captivité. Il avait un document attestant qu'il n'avait été qu'un sympathisant et le montrait à tout le monde ; il en était ridiculement fier. Trois mois plus tard, on lui a offert un poste au service de l'urbanisme qui était installé dans des locaux de fortune. Notre mariage n'était pas heureux. Wilhelm m'aimait, il était attentionné et travailleur, mais je ne pouvais pas lui retourner son amour. Il le sentait. Puis vint l'été 1950, et pour la première fois depuis la fin de la guerre, on organisa une fête au village.

37

25 avril 1998

Quand Karl arriva au commissariat, seules quatre voitures étaient garées sur le parking, et dans les couloirs du bâtiment, le calme des samedis régnait. Il posa l'enveloppe contenant les empreintes digitales sur le bureau de Steiner.

— J'ai pensé que je pourrais te les apporter moi-même et voir si vous aviez du neuf.

Steiner eut un petit sourire de satisfaction et dit avec bonne humeur :

— Et comment ! Nous savons qui est Therese Peters.

— Hmm…, fit Karl.

Il attendit quelques secondes puis dit :

— Alors ? C'est qui ?

Steiner le fixa.

— Therese Mende. Elle est riche à millions et vit à Majorque.

Karl émit un petit sifflement entre ses dents, puis demanda avec une pointe d'ironie :

— Et alors ? Elle est venue ici et a tué Albers ?

Steiner saisit les lunettes qui pendaient à son cou.

— Pour le moment, nous n'avons aucune preuve de sa présence ici, mais... Ce genre de personne ne ferait pas ça elle-même.

— Vous lui avez parlé ?

— Non, ce journaliste, ce Köbler, est parti d'ici il y a un quart d'heure à peine. Mais il y a mieux. Les collègues de Hambourg nous ont informés que Robert Lubisch est parti en voyage, et devine où il est ?

Steiner marqua une pause dramatique avant d'annoncer triomphalement :

— Il s'est envolé hier pour Majorque.

Karl s'assit et passa sa main gauche sur ses joues et sa bouche.

— Ça veut dire que LUI, il l'a trouvée aussi.

Steiner tapota les branches de ses lunettes l'une contre l'autre.

— C'est une possibilité. L'autre serait qu'ils se connaissaient déjà avant.

Karl secoua lentement la tête.

— Mais voyons, pourquoi aurait-il demandé à Albers de faire des recherches s'il savait déjà qui était Therese Peters ?

Steiner soupira.

— C'est juste, mais c'est aussi uniquement par lui que nous savons qu'il a demandé à Albers de faire des recherches. Nous n'avons aucune autre preuve de ça.

Il tapota le dossier ouvert sur son bureau.

— Ni l'employée de l'état civil ni l'archiviste, Scholten, n'ont dit qu'Albers avait mentionné être mandatée. Et si Albers n'avait pas reçu cette photo de Lubisch, mais était tombée sur lui au cours de son investigation, l'avait contacté, et que cela n'avait pas plu à Lubisch ?

— Hmm.

Karl réfléchissait. C'était un fait : ils ne savaient pas grand-chose de Robert Lubisch.

— Si vous orientez l'enquête dans cette direction, c'est que vous partez du principe qu'il y a un lien avec la disparition de Wilhelm Peters, non ?

Steiner mit ses lunettes.

— Oui, cela semble probable. En tout cas, nous n'avons rien d'autre pour l'instant, et Köbler dit qu'Albers a parlé d'une très grosse histoire. Elle n'avait pas encore réuni tous les éléments, mais elle a de toute évidence mis son nez là où il ne fallait pas, et quelqu'un l'a stoppée.

Karl se plongea dans la contemplation des piles de dossiers sur le bureau de Steiner.

— Les jardiniers avaient pour mission de creuser un puits, dit-il pensivement, sans lever les yeux.

Steiner plissa le front et secoua la tête pour marquer son incompréhension.

— Oui, et alors ?

— Juste une idée. Je ne sais pas comment on fait un puits, de nos jours, mais ils auraient sûrement dû creuser ou forer. Dans le rapport, il est écrit que le terrain a été retourné, mais c'était Gerhard qui était en charge de l'enquête, à l'époque et... ben, il cache quelque chose.

Steiner se tut un moment.

— Tu penses que...

Karl se leva.

— Exactement ! Je vais parler à Schoofs. Il serait intéressant de savoir qui était au courant de ce projet de puits.

Dans la jardinerie, Matthias Schoofs et sa femme étaient occupés à ranger des jeunes plants dans la serre. Schoofs leva la main pour le saluer.

— Qu'est-ce qu'il y a encore, Karl ? cria-t-il sans interrompre sa tâche. Les gars ont fini leur journée, ils ne reviendront que lundi.

Il s'arrêta.

— Au fait, tu n'es jamais en week-end, toi ?

Karl eut un rire débonnaire.

— Si, si. J'avais simplement une question au sujet du puits chez Albers.

Schoofs secoua la main en signe de dénégation.

— Mais on ne l'a pas fait, il n'y avait plus de raison.

— Oui, oui. Ça m'intéresserait de… Je veux dire, qui le savait ? Qui savait que vous deviez faire un puits là-bas ?

Schoofs haussa les épaules.

— Comment je saurais à qui elle en avait parlé ? Chez nous, il n'y avait que moi, ma femme, Jan et Klaus qui étions au courant, personne d'autre.

Il se dirigea vers un chariot métallique chargé de caisses en bois où poussaient des salades, en débloqua le frein du pied et le poussa en direction de la serre. Karl était déçu.

— Ah oui, j'ai aussi appelé Hanna. Je lui ai demandé si elle se souvenait de l'emplacement de l'ancien puits et de sa profondeur.

Karl s'approcha de Schoofs et l'aida à pousser. C'est la gorge serrée qu'il lui demanda :

— Et qu'est-ce qu'elle a dit ?

— Qu'il était comblé depuis la guerre et qu'elle ne se souvenait plus de sa profondeur.

Dans la serre, Schoofs fit le tour du chariot et remit le frein.

Karl le remercia et lui souhaita un bon week-end. Dans sa voiture, il resta prostré pendant de longues minutes. Hanna et Paul. Tout en lui se refusait à les soupçonner, à se rendre chez eux. Ce n'est que lorsque Schoofs jeta un coup d'œil inquiet dans l'allée qu'il démarra et partit.

À la ferme, il trouva Hanna dans l'étable.

— Qu'est-ce qu'il y a encore ? lui dit-elle en guise de salutation en continuant à nettoyer le box d'un cheval.

— Il faut que je vous parle, répondit-il d'une voix atone.

Hanna s'appuya sur le manche de sa fourche et le regarda tranquillement.

— À quel sujet ? On est occupés, lui lança-t-elle laconiquement en le regardant avec méfiance. D'ailleurs, Paul n'est pas là.

— C'est au sujet du puits.

Karl ouvrit la porte du box et la vit faire une grimace douloureuse. Elle frappait les dents métalliques de la fourche sur le sol en béton à un rythme régulier, sans rien dire. Il s'adossa contre la poutre en bois d'où pendaient un licol et une longe. Enfin, elle eut un rire amer.

— Tu peux bien attendre que j'aie fini.

Et elle continua à charger la paille sur la brouette à coups de fourche comme si Karl n'était pas là. Karl savait qu'elle ne lui adresserait plus la parole tant qu'elle n'aurait pas fini.

38

25 avril 1998

Therese Mende repoussa son fauteuil.

— Un moment, s'il vous plaît, Robert. J'aimerais aller chercher quelque chose et dire à Luisa que vous resterez dîner. Vous accepterez bien mon invitation, n'est-ce pas ?

Robert Lubisch se passa les mains dans les cheveux, puis dit :

— Avec plaisir.

Il laissa retomber ses bras. Tout comme quand Rita Albers lui avait téléphoné, il ressentait de l'inquiétude, un recul instinctif devant ce qui pourrait encore arriver. Therese Mende disparut dans la maison, et cette attente menaçante, cette pression indéfinie sur ses épaules, augmenta encore. Il rejeta la tête en arrière et contempla le ciel, haut et bleu tendre. Du vivant de son père, Robert avait sans cesse cherché une tache sur son apparence parfaite, espérant trouver un défaut pour contrer son autorité pompeuse. Et maintenant, il le sentait, il allait le trouver, et ce serait plus qu'un simple défaut. Il se leva et se mit à arpenter la terrasse, soudain pris d'une envie de partir et de laisser les choses en paix.

Quand Therese Mende revint, ils reprirent place, et elle posa une petite serviette en cuir, une sorte de portefeuille, sur la table. Elle le regarda attentivement.

— Il est encore temps de partir.

Il eut un bref moment d'hésitation, puis secoua la tête.

— Non, dit-il avec une détermination soudaine. Non, je ne peux plus. Plus maintenant.

Elle prit le porte-documents sur la table, le posa sur ses genoux et le serra entre ses mains en continuant son récit.

Le 12 août 1950, il faisait chaud, et la première fête d'après-guerre se tenait au village. Un carrousel s'était installé, son toit laqué rouge et blanc brillant au soleil. Un stand vendait des beignets aux raisins secs et l'air était empli du parfum collant du sucre qu'on se léchait sur les doigts. Les adultes étaient regroupés à la buvette. On servait de la bière, du vin et de la limonade, et dès l'après-midi, certains avaient déjà trop bu. Les enfants faisaient la queue devant la table du marchand de barbe à papa. Le moteur de la machine ne cessait de surchauffer. Alors le vendeur criait : « Les prochaines seront prêtes dans une demi-heure », et des menottes remettaient les cinq pfennigs qu'elles serraient farouchement dans des poches de pantalon ou de tablier, et les enfants se dispersaient. Sous le chapiteau de fête se trouvait un long comptoir, et un orchestre invitait à la danse. Tout le village était là, ainsi que les habitants des fermes et des localités voisines, et des groupes de jeunes gens arrivaient même de Kleve à bicyclette. On voyait beaucoup de visages nouveaux. Sous le chapiteau, la chaleur stagnait et l'odeur de la sueur se mêlait à celle des cigares et des cigarettes. Alors, chaque fois que Therese avait dansé et que l'orchestre faisait une pause, elle sortait prendre le frais. Vers quatre heures, elle alla se réfugier à l'ombre d'un chêne qui bordait la place pour observer toute cette agitation. Derrière le tronc de l'arbre, elle découvrit Paul qui, ayant bu trop de bière pour ses seize ans, vomissait.

Elle s'approcha de lui.

— Oh là là, Paul ! Tu as abusé des bonnes choses.

Paul, visiblement honteux, la pria de ne rien dire à son père. Il s'appuya contre le tronc, se laissa glisser et resta assis, les jambes écartées.

— Tu veux que je te ramène à la maison ? demanda Therese prudemment, consciente qu'il refuserait sans doute, par fierté.

— Non, non, ça va passer. Je veux rester.

Sa voix était pâteuse, mais restait compréhensible. Therese, qui pensait que l'air frais lui ferait vite du bien, s'assit en face de lui dans l'herbe.

— Moi aussi, j'ai besoin d'une pause.

Paul appuya sa tête contre le tronc et la regarda avec des yeux légèrement troubles.

— Therese ? Est-ce que je peux te demander quelque chose ?

— Bien sûr, fit-elle en souriant.

— Pourquoi as-tu épousé Wilhelm, après tout ce qu'il a fait, celui-là ?

Elle secoua la tête et demanda, en continuant à sourire :

— De quoi parles-tu ?

— De ce qui s'est passé avec Jurij, à l'époque. C'est de ça que je parle. De Jurij et de toi.

Soudain, il y eut comme une menace dans l'air. La fraîcheur de l'ombre, agréable jusque-là, devint froide. Elle croisa les bras sur sa poitrine et frotta le haut de ses bras nus avec ses mains.

— Je ne comprends pas ce que tu veux dire, dit-elle, entendant sa voix devenir rauque et étrangère.

— Ben, à cause de ton arrestation, et parce qu'ils ont quand même fusillé Jurij.

Therese Mende regarda Robert Lubisch.

— J'étais soulagée. Paul n'était qu'un enfant, à l'époque, et il avait de toute évidence tout compris de travers. Je le lui ai dit : « Paul, tu étais encore petit. Tu as tout compris de travers. » Mais il a secoué la tête.

Therese Mende baissa son regard sur la serviette en cuir entre ses mains.

Paul se mit soudain à pleurer.

— Non, Therese, je n'ai pas mal compris. C'est moi qui t'ai dénoncée, à l'époque.

Il avait caché sa tête dans le creux de son bras ; elle enfouit sa main dans sa chevelure épaisse et dit :

— Paul, je sais que tu as parlé de Jurij et de moi à Gerhard. Mais tu étais un enfant, je ne t'en veux pas pour ça.

Paul se calma doucement et la regarda, les yeux rougis par les larmes.

— Tu étais au courant ?

Elle hocha la tête.

— Oui, mais ce n'est pas ta faute, c'est la faute de Theo Gerhard.

Paul replia ses jambes, les entoura de ses bras et dit :

— Mais c'est à Wilhelm que je l'ai dit, pas à Gerhard.

Plus tard, il lui sembla que cette phrase n'avait d'abord atteint que ses oreilles, étrangère et fausse, ses mots travestis et méconnaissables. Elle se souvenait avoir pensé : il est soûl, il est tout retourné.

Elle le prit par les épaules et le secoua.

— Ce n'est pas vrai, Paul. Tu l'as dit à Gerhard, pas à Wilhelm.

Paul recommença à pleurer, puis il prononça cette phrase qui l'anéantit :

— Non, je l'ai raconté à Wilhelm, et j'ai vu aussi comment lui et Gerhard ont abattu Jurij, dans la clairière.

Dans sa tête, un son perçant apparut et ne cessa de s'amplifier, de hurler, et derrière lui des images défilaient, des images qui n'avaient aucun sens mais dont l'ordre d'apparition semblait logique. Elle entendit Alwine dire : « Tu vas l'épouser ». Elle revit Wilhelm près de son lit qui l'assurait qu'il n'était au courant de rien. Elle entendit Jurij lui demander : « Qu'est-ce que tu as fait, Therese ? Pourquoi me laissent-ils partir ? », et elle le vit partir dans le brouillard en direction de la forêt. Pour toujours.

Un instant, une lueur d'espoir s'alluma en elle, un instant, elle crut encore que Paul avait peut-être vu Gerhard tuer cet autre homme, et elle dit :

— Wilhelm n'était pas avec eux. Tu as vu Gerhard au bord de la route, n'est-ce pas ? C'était Gerhard avec un inconnu.

Sa voix enfla, puis se brisa.

Mais Paul secoua la tête et la regarda avec des yeux écarquillés, comme s'il venait de comprendre ce qu'il avait observé à l'époque, comme s'il venait de réaliser qu'elle n'avait jamais rien su de tout cela. Sa voix lui parvint de loin :

— Non. Tu as retrouvé Jurij derrière la grange. Je l'ai suivi. Theo Gerhard et Wilhelm ont tiré sur lui dans la clairière, du haut du mirador. C'est la vérité, Therese, je le jure.

Quelque chose en elle se brisa, quelque chose tomba, et Jurij disparut dans le brouillard sans cesser de demander : « Qu'est-ce que tu as fait, Therese ? Pourquoi me laissent-ils partir ? »

La fin de cette journée resta à jamais sourde, muette et aveugle. Des jours plus tard, des témoins affirmeraient qu'elle avait hurlé et frappé Wilhelm, devant le chapiteau, et que Hanna l'avait ramenée à la maison. Mais elle ne s'en souvenait pas. Elle se souvenait seulement qu'à l'intérieur d'elle-même quelque chose s'était mis à tanguer, de plus en plus fort, jusqu'à lui en donner le vertige. Une pression dans la tête, et puis, comme si le balancement avait atteint son amplitude maximale, comme si elle avait trop rejeté son corps en arrière ou trop projeté ses jambes en avant, l'impression de planer.

Les images de ce qui arriva ensuite – c'est l'impression qu'elle en eut plus tard – ne la représentaient pas. Son corps en robe d'été bleue à fleurs, assis pieds nus et immobile, sur une chaise entre la table de la cuisine et le fourneau éteint.

Elle n'éprouvait rien. Aucun sentiment.

Elle ne pensait rien. Aucune pensée.

La porte était ouverte. Dans la cour, le soir aspirait les tons ocre du sable, lui conférant une teinte brune de plus en plus sombre, puis la nuit éteignit toutes les couleurs.

Des heures avaient dû passer avant qu'elle ne l'entende enfin. Il avait bu, chantait et parlait tout seul. Elle prit le tisonnier sur le fourneau, se posta près de l'entrée, et quand il passa la porte, elle frappa.

Il tomba, et pourtant il était debout.

Il était couché par terre, et pourtant il lui soufflait son haleine chargée d'alcool au visage.

Il était couché par terre, et pourtant il cherchait l'interrupteur à tâtons.

Il était debout, là, fixait l'homme par terre et semblait avoir dessoûlé d'un coup.

— Tu voulais me... ? demanda-t-il, et son étonnement était sincère.

Puis il désigna l'homme à ses pieds, qui avait la pointe du tisonnier plantée dans le crâne, et dit :

— Il s'appelle Lubisch. Il voulait te voir.

Therese Mende serra la serviette de cuir contre sa poitrine et prit une profonde inspiration. Puis elle l'ouvrit et la fit glisser par-dessus la table.

— C'est la photo de notre mariage, dit-elle simplement.

Et Robert vit le visage de son père, jeune. Il n'osa pas toucher la photo. Incrédule, son regard ne cessait de passer de la photo à Therese Mende.

— Je… Je ne comprends pas, balbutia-t-il.

— Voyez-vous, Wilhelm a très vite compris la situation, bien plus vite que moi. Si je m'étais effectivement disputée avec lui à la fête, il savait que le meurtre de Jurij allait être découvert et que je ne me tairais pas. Plus tard, j'ai appris par Hanna que Friedhelm Lubisch m'avait cherchée sous le chapiteau. Il voulait me rendre visite. Hanna lui avait dit que j'avais quitté la fête, mais qu'elle pouvait lui montrer mon mari. Lubisch a passé la soirée avec Wilhelm et lui a sans doute raconté toute sa vie.

Cette nuit-là, alors qu'il était agenouillé près de Lubisch, Wilhelm a compris tout de suite la chance qui s'offrait à lui. Il a pris le portefeuille de Lubisch, qui contenait le certificat de libération du camp de prisonniers, et s'est précipité dans la chambre pour prendre quelques affaires.

Robert se plaqua les mains sur le visage, se débattant mentalement contre ce qu'il venait d'entendre. Le pressentiment qui avait commencé à se propager au fin fond de son esprit quand, quelques heures auparavant, Therese avait parlé de brûlures, se confirma. Il revoyait les cicatrices sur le haut des bras et le mollet gauche de son père. « L'incendie d'une maison au début de la guerre », avait toujours affirmé son père. Son père !

La nuit tombait. Une lumière violette irréelle reposait sur la mer quand Therese se leva et revint avec une bouteille de cognac et deux verres. Elle versa des rasades généreuses et ils burent en silence. Puis Therese se pencha vers Robert, les yeux emplis de larmes.

— En partant, il m'a dit : « Maintenant, je ne peux vraiment plus t'aider. Tu es la seule responsable. Mais il faut que tu saches une chose : tout ce que j'ai fait à l'époque, je l'ai fait par amour. » Il a vraiment dit cela : par amour.

39

25 avril 1998

Hanna avait mis de la paille fraîche dans les box des chevaux. Elle poussa la brouette dans la grange et accrocha la fourche à fumier, les dents vers le bas, à un porte-outils en bois où d'autres fourches, des râteaux et des pelles étaient soigneusement rangés. Karl, debout dans la cour, la regardait faire. Il songeait qu'elle devait avoir plus de soixante-dix ans, mais que sa chemise à carreaux, sa salopette et sa façon énergique de se mouvoir lui donnaient l'allure d'une femme dans la cinquantaine.

Elle sortit de la grange et dit laconiquement en passant à côté à lui :

— Je vais me changer, après, on pourra y aller.

Karl la suivit des yeux pendant qu'elle se dirigeait vers la maison. Il pensa qu'il allait éclaircir la mort de Rita Albers, mais n'en éprouva ni satisfaction ni fierté. Il attendit près de la voiture. Le verger et le potager des Höver s'étendaient jusqu'au bord de la route. Un vent léger soufflait dans les arbres en fleurs ; un papillon citron se posa sur le toit de la voiture et sembla y reprendre son souffle.

Elle sortit de la maison toute pomponnée, ce qui lui donnait l'air d'une étrangère. Elle portait une blouse blanche à col foulard qu'elle avait noué en un gros nœud sur sa poitrine. Sa jupe étroite et grise descendait à mi-mollets et ses chaussures assorties la rendaient encore plus grande. Elle alla vers la voiture sans un mot et s'installa sur le siège passager.

Karl se mit au volant. Elle dit en regardant par la fenêtre.

— J'ai laissé un mot à Paul. Il viendra sûrement nous rejoindre.

Elle fut très calme pendant tout le trajet jusqu'au poste. Ses pensées semblaient exclusivement tourner autour de son frère. Elle dit : « Il faut qu'il prenne quelqu'un pour l'aider. » Puis : « Ça ne va pas être facile pour lui. » Ou encore : « Il est travailleur, mais il ne saura pas faire les factures ni se débrouiller avec la TVA et les coûts de fourrage. »

Karl savait qu'il devait l'emmener directement chez Steiner, mais il se souvint de l'attitude habituelle de l'échalas et décida qu'il lui parlerait d'abord seul.

Au poste, il fit du café, et après l'avoir goûté, Hanna dit :

— Il est bon, mais si tu mettais une pointe de cannelle dans le café moulu, il serait encore meilleur.

Elle sourit, et Karl pensa qu'il l'avait rarement vue sourire. Elle posa sa tasse et se mit à parler sans qu'il le lui ait demandé.

Quand, tôt le matin du 13 août 1950, Hanna sortit traire les vaches, Therese était assise sur le banc derrière la maison. On pouvait à peine lui parler, elle ne cessait de répéter :

— Je l'ai tué.

Hanna alla chercher son père, et Paul vint aussi. Therese mit presque une heure à leur faire un récit à peu près clair de ce qui s'était passé. Le vieux Höver apprit alors seulement que Paul avait vu Wilhelm et Theo Gerhard abattre Jurij. Paul balbutia qu'à l'époque, il ne pouvait pas savoir que c'était mal.

— C'était la guerre, et Jurij était un ennemi, dit-il.

Höver frappa Paul au visage et hurla que même pendant la guerre, on n'abattait pas dans le dos des ennemis non armés. Hanna craignit que Therese n'évoque aussi la plainte qu'elle avait déposée contre Leonard. Mais Therese n'en parla pas. Petit à petit, ils apprirent comment Wilhelm était rentré chez lui, que Therese avait saisi le tisonnier, frappé dans l'obscurité, et que la pointe en métal s'était abattue sur le compagnon de son mari, Friedhelm Lubisch.

— Wilhelm est parti, dit-elle.

En tremblant de tout son corps, elle supplia en pleurant le père Höver de l'accompagner à la police.

— Je voulais y aller directement, mais j'ai peur. Là-bas, j'aurai affaire à Theo Gerhard, comme quand j'ai été arrêtée, dit-elle en pleurant.

Le père demanda à Paul ce que Theo Gerhard et Peters avaient fait du corps de Jurij, mais Paul savait simplement qu'ils l'avaient traîné vers la voiture. Therese raconta à voix basse comment Jurij avait pu fuir, que Gerhard avait tué un étranger, et qu'elle avait promis à Wilhelm de l'épouser. Le vieux Höver resta assis un long moment en silence. Son regard survolait la plaine, franchissait les haies et les barrières et allait se perdre à l'horizon où s'allumaient les douces lueurs de l'aube. Puis il se leva.

— Assez de morts et de chagrin, dit-il brièvement. Ça ne servirait à rien que tu ailles en prison.

Il se rendit avec Paul à la maison du gardien. Pendant la guerre, le puits s'était à moitié effondré et ne servait plus. Ils enveloppèrent le corps de l'inconnu dans une couverture et l'y jetèrent, puis ils comblèrent le puits et détruisirent la partie de la margelle encore visible.

Le récit de Hanna était fluide et presque dénué d'émotion. Parfois, quand elle s'interrompait, une ride profonde apparaissait entre ses sourcils. Puis elle hochait brièvement la tête, comme pour se confirmer à elle-même ce qu'elle s'apprêtait à dire. Elle parlait d'une voix ferme, et Karl était certain qu'elle n'oublierait aucun détail, qu'elle voulait enfin faire table rase.

— Therese resta chez nous jusqu'au mardi matin, puis, comme le père le lui avait dit, elle alla au poste de police et déclara la disparition de son mari. Theo Gerhard se chargea de l'enquête et l'accusa immédiatement d'avoir tué Wilhelm. Il l'interrogea pendant des heures, il hurla et la menaça. Un jour, il lui murmura : « Il y a sept ans, tu as réussi à t'en tirer, espèce de putain, mais maintenant, tu vas enfin avoir ce que tu méritais déjà à l'époque. »

Une semaine plus tard, Therese vint à la ferme et annonça que Gerhard avait ordonné que le terrain autour de la petite maison soit retourné de fond en comble le lendemain. Alors, comme quand Fedir avait été battu, le vieux Höver se rendit à l'hôtel de ville. Paul l'accompagna. Quand ils revinrent, il dit laconiquement à Therese :

— Ne t'en fais pas.

Le terrain ne fut jamais fouillé. Gerhard joua encore pendant un certain temps le rôle de l'enquêteur impitoyable, mais il fit preuve de prudence, et quand Therese disparut, on n'entendit plus parler de lui.

Hanna se leva, alla se poster à la fenêtre et regarda dehors.

— Gerhard est toujours en vie. Il touche une belle pension et passe pour un citoyen respectable.

Karl repensa au ton agressif de Gerhard, au cognac qu'il buvait dès le matin et à l'appartement qu'il n'habitait pas vraiment. Il dit à Hanna qui lui tournait le dos :

— Ton père l'a menacé de révéler l'exécution de Jurij ?

Hanna hocha la tête.

— Oui, en quelque sorte. Paul m'a dit que le père avait formulé les choses plus simplement. Il a seulement dit : « Tu as abattu deux prisonniers de guerre en douce. Je le sais, tu le sais, et maintenant, tu vas la fermer. »

Karl lui proposa un autre café, mais elle resta debout près de la fenêtre et refusa en secouant la tête. Il se resservit.

— Vous êtes toujours restés en contact avec Therese Mende ?

Il vit Hanna sursauter brièvement en entendant ce nom.

— Oui, nous connaissons maintenant son identité actuelle, confirma-t-il.

Elle se tourna et s'appuya contre le rebord de fenêtre.

— Elle était partie depuis près de deux ans, quand nous avons reçu une lettre de Francfort. Elle nous demandait de lui procurer un extrait d'acte de naissance et de nous occuper de la tombe de ses parents. Ensuite, elle nous a écrit chaque Noël, en mettant de l'argent pour l'entretien de la tombe dans l'enveloppe. Ses lettres venaient de Londres, Paris, Amsterdam, de partout. Mais il n'y avait jamais d'adresse d'expéditeur, elle écrivait simplement « Therese ». Peu de temps avant la mort de la femme de Paul, elle est venue nous voir. Je n'étais pas là. Elle est venue à la ferme et a été choquée de la trouver en si mauvais état. Elle a proposé à Paul de lui racheter la petite maison, mais il avait eu besoin d'argent et l'avait déjà louée à Albers. À partir de ce moment, elle s'est manifestée régulièrement. Elle aurait voulu aider Paul financièrement, mais il était trop fier et se sentait encore coupable envers elle. Un jour, je lui ai dit que j'aurais bien aimé transformer la ferme en une sorte de pension pour chevaux. Alors, quand Paul s'est retrouvé veuf, elle m'a donné l'argent pour faire les travaux, pour ce nouveau départ.

Karl sourit.

— Au village, on raconte que l'argent provenait de l'assurance-vie de la femme de Paul.

Hanna eut un rire bref :

— Ce n'est pas nous qui avons raconté ça, mais tu connais le village. Quand on n'a pas d'explication officielle, on s'en fabrique une. Ça ne nous a pas dérangés.

Elle regarda par terre et se tut. Karl vint se placer à côté d'elle à la fenêtre et demanda à voix basse :

— Elle posait des conditions quand elle vous donnait de l'argent ?

— Non. Pas de conditions. Quand on a commencé à gagner de l'argent avec les chevaux, j'ai proposé de la rembourser par mensualités, mais elle n'a pas voulu de cet argent. Ces dernières années ont été les meilleures que nous ayons jamais eues, Paul et moi. Il a fallu que cette Albers vienne et se mette à fouiner dans ces vieilles histoires.

40

25 avril 1998

Robert Lubisch venait de terminer son second cognac. Les rayons du soleil dessinèrent une ligne violette sur l'eau et brillèrent une dernière fois. La perfection de ce spectacle semblait inconvenante à Robert, mais il sentait aussi que ces jeux de lumière avaient un effet apaisant sur son état de stupeur. Le cognac y avait aussi sa part ; il lui brûlait la gorge et l'estomac et chassait la raideur de son corps. Therese Mende se taisait, et un moment, Robert pensa : elle ment.

Mais son regard se posa de nouveau sur la photo, et il dut s'avouer que le doute n'était pas possible. Il était bien le fils de Wilhelm Peters. Il se souvint d'une visite à ses parents, un Noël au début des années 1990. Les frontières étaient ouvertes et Maren et lui avaient offert à son père un voyage en Pologne, à Wroclaw, l'ancienne Breslau. Il n'avait pas eu l'air ravi, et c'est finalement sa mère qui était partie avec une amie, son père ayant prétexté qu'il ne pouvait pas s'absenter de la société. Quand l'Association des personnes exilées, dont il était l'un des administrateurs, organisait des voyages dans l'ancienne patrie, il ne les avait jamais accompagnés non plus, disant qu'une telle visite ne ferait que rouvrir d'anciennes plaies.

Luisa vint demander à Therese Mende quand et où elle devait servir le dîner. Robert n'entendit pas la réponse qu'elle lui fit. Un peu plus tard, Luisa apporta du vin et de l'eau.

Des mouettes planaient légèrement dans le ciel, la lumière du soir colorant leur plumage de rose.

Therese parla de l'aide que les Höver lui avaient apportée, du puits, et de son départ de Kranenburg en décembre 1950. Il demanda :

— Avez-vous jamais repris contact avec lui ?

— Non. J'aurais probablement pu le retrouver, mais...

Elle hésita.

— Je voulais oublier, dit-elle en regardant Robert droit dans les yeux. Au cours des deux premières années, j'ai essayé de retrouver un équilibre en prenant soin de ne pas laisser de traces. J'ai trouvé divers emplois à Francfort. J'y ai travaillé comme couturière, employée de bureau, standardiste, mais chaque fois que mes employeurs s'impatientaient à cause des papiers, je devais partir. Puis Hanna m'a procuré un extrait d'acte de naissance, et j'ai enfin eu une identité. Alors j'ai pu commencer une nouvelle vie. Je suis redevenue Therese Pohl, et avec mon nom de jeune fille, j'ai effacé celui de Therese Peters.

Robert prit une gorgée de vin.

— Et mon père a effacé celui de Wilhelm Peters en prenant les papiers de Friedhelm Lubisch.

Il se souvint que son père avait laissé une grande partie de sa fortune à l'Association des personnes exilées. S'était-il à ce point identifié à la vie de Friedhelm Lubisch, ou avait-il tenté de se racheter ?

Il pensa à la grande maison, à la statue de Diane dans le jardin et aux réceptions princières. Tout lui avait toujours semblé trop grand et trop tapageur, hypocrite et artificiel, mais jamais il ne lui était venu à l'idée que cette démesure et ce bruit servaient à cacher quelque chose.

Il demanda prudemment :

— Vous avez dit en avoir parlé à votre époux. Pensez-vous que vous auriez pu le lui cacher à jamais ?

Therese Mende mit du temps à lui répondre. Puis elle dit posément :

— Vous me demandez si votre mère était au courant, n'est-ce pas ?

Il se leva, fit quelques pas, puis se rassit.

— Oui, c'est peut-être ma question.

— Je ne peux pas vous répondre, dit-elle simplement.

Il se souvint du rêve dans lequel sa mère lui disait : « Tu détruis l'œuvre de sa vie. » Ensuite, elle était partie, il avait posé le pied sur un brin de laine de son châle, et les mailles s'étaient défaites, dénudant son dos.

Il sentait qu'il se remettait petit à petit du choc, qu'il commençait à regarder la vérité en face, et se surprit à penser pour la première fois : mon père, Wilhelm Peters.

Puis il se leva encore, se mit à arpenter la terrasse, et demanda finalement :

— Et Rita Albers ? Que s'est-il passé avec Rita Albers ?

— Elle m'a appelée, dit Therese.

Robert remarqua que son ton avait changé. Sa voix était ferme, elle n'avait plus besoin d'aller remuer un passé lointain. Maintenant, c'était la femme d'affaires qui s'exprimait, donnant les faits de manière concise et claire.

— Je savais par Paul Höver qu'elle possédait une photo de moi et posait des questions. Elle m'a appelée et je l'ai menacée au téléphone, mais j'avais la certitude que cela ne suffirait pas à l'arrêter. Alors j'ai téléphoné le jour même à un ami, avocat à Francfort, et je l'ai chargé de lui proposer de l'argent.

Elle marqua une pause et alla se poster à la balustrade.

— Une grosse histoire, avait-elle dit, ce qui signifiait qu'elle comptait la vendre cher.

Elle revint prendre son verre de vin sur la table.

— Mon avocat n'a pas réussi à la joindre, et le lendemain, j'ai appris par Hanna Höver qu'on l'avait retrouvée morte.

Elle avait dit cela aussi en toute objectivité. Elle faisait tourner le verre entre ses mains, et le vin lourd s'écoulait lentement sur la paroi en y laissant des traces qui jouaient avec la lumière du soir.

— Contre tout bon sens, j'ai espéré que cette histoire s'arrêterait là.

Elle regarda Lubisch avec un sourire sans joie.

— Puis vous êtes arrivé, et quand je vous ai vu, j'ai su que le moment était enfin venu. Je ne vous cacherai pas que j'ai décidé seulement ce matin de vous raconter ce qui s'était réellement passé au cours de cette nuit d'été de 1950.

Elle désigna la serviette en cuir avec la photo du mariage.

— Même si je la détruisais, que se passerait-il si ma fille se mettait, comme vous, à faire des recherches après ma mort ? Elle croit que j'ai grandi dans le Rhin inférieur, que mes parents sont morts pendant la guerre et que j'ai épousé son père en 1956. Elle n'est jamais allée à Kranenburg et ne met pas mon histoire en doute. Mais que se passerait-il si un jour elle décidait d'en savoir plus ? Quelle vérité entendrait-elle ?

Elle se tourna et posa son regard sur la mer, où la ligne d'horizon délimitait encore clairement l'eau et le ciel. Robert Lubisch la rejoignit.

— Pensez-vous que la vérité vous aurait paru plus supportable si vous l'aviez tenue de votre père ? demanda-t-elle doucement.

Le temps continuait à s'écouler sur le carrelage de la terrasse et le jour fit définitivement place à la nuit. Robert se tenait toujours face à la mer et ses mots tombèrent dans l'abîme quand il dit :

— Ce qui me fait le plus souffrir, c'est que ces moments passés dans l'intimité de son bureau, quand il me parlait de sa famille, de sa désertion et de ses années d'incarcération, comptent parmi les plus beaux souvenirs de mon enfance.

Il eut un rire amer.

— Il m'est difficile d'accepter qu'il me mentait alors que nous étions si proches.

Therese Mende l'écoutait attentivement en regardant les lumières s'allumer petit à petit dans les restaurants, les hôtels et les bars, et essayait de se rassurer en se disant que si elle avait caché une partie de sa vie à sa fille, elle ne lui avait jamais raconté la vie d'une autre. Robert était lui aussi plongé dans ses pensées. Il sentit les larmes lui monter aux yeux et les ravala en prenant une profonde inspiration.

— Quand mon père est mort, j'ai eu du chagrin. À la fin de votre récit, j'ai eu l'impression qu'il mourait une seconde fois. Mais c'est faux. Il n'existe pas. Et à présent, même sa pierre tombale est un mensonge.

41

25 avril 1998

Hanna avait repris place sur la chaise devant le bureau de Karl van den Boom. Plongée dans ses pensées, elle tripotait le grand nœud de son chemisier blanc, qui semblait la gêner. Elle ne paraissait pas non plus à son aise dans sa jupe qu'elle ne cessait de lisser. Karl se dit qu'elle semblait déguisée.

— D'abord, Albers est venue à la ferme avec la photo. Elle a pris un air innocent pour nous demander ce que Therese était devenue et ce que nous savions à son sujet. Elle était déjà allée voir le vieux Heuer et prétendait que c'était lui qui lui avait donné le nom de Therese Peters.

Karl émit un petit grognement compréhensif mais ne dit mot pour éviter de l'interrompre. Il songeait à sa manière laconique et parcimonieuse de s'exprimer. Aujourd'hui, elle semblait épuiser la réserve de mots de toute une année.

— J'ai téléphoné à Therese et je lui ai dit qu'Albers fouinait.

Ses mains calleuses effilochaient le tissu fin de son nœud et en tiraient des fils. Elle s'en rendit compte et reposa ses mains sur ses genoux. Ses yeux parcouraient nerveusement la surface du bureau. Elle s'arrêta soudain et le regarda.

— À la télé, ils ont toujours un magnétophone. Tu ne devrais pas en utiliser un ?

Karl fit la moue et secoua la tête.

— Tu devras répéter tout ça aux collègues de Kalkar, dit-il tranquillement.

Elle le regarda avec méfiance.

— Non, je ne le ferai pas, décida-t-elle d'une voix ferme.

Il leva les mains en signe d'apaisement.

— Je propose que tu me racontes tout jusqu'au bout, et après, on verra ce qu'on peut faire.

Elle plissa son large front, puis sembla accepter.

— Bon. Donc, j'ai pensé... Elle ne trouvera pas grand-chose, si on ne dit rien. Que pourrait-elle trouver, d'ailleurs ? Mais on se fait toujours du souci, dans des cas pareils et...

Ses mains semblaient se livrer bataille sur ses genoux.

— Paul a hérité de la ferme parce que... c'était le fils. Il n'a pas eu une vie facile, et moi... j'avais promis au père que je m'occuperais de la ferme et de Paul. Mais quand Sophia est arrivée... ça ne se passait pas bien, entre nous deux, alors je suis partie. Sophia n'était pas une paysanne, et Paul, il est travailleur, mais il a besoin de quelqu'un pour lui dire ce qu'il faut faire. Quand le secteur laitier est devenu de plus en plus difficile, les autres se sont reconvertis dans le cochon, mais Paul a continué à produire du lait en espérant qu'un jour, ça irait mieux. Mais ça ne s'est pas arrangé et il a loué et vendu des terres. Il n'avait pas pensé que sans les terres, il ne pourrait plus cultiver le fourrage pour les bêtes et devrait l'acheter au prix fort... Il n'aurait jamais dû louer la maison, mais Sophia ne l'a pas compris, et comme il ne pouvait pas lui donner d'explications, il a fini par le faire.

Hanna avait maintenant les larmes aux yeux. Elle prit son sac à main qu'elle avait posé par terre et en sortit un mouchoir soigneusement repassé. Elle s'essuya les yeux d'un air gêné.

Hanna avait toujours été grincheuse et Karl était ému de la voir si vulnérable. Embarrassée, elle baissa la tête pour éviter son regard.

— J'ai pensé que si Paul devait aller en prison parce qu'à l'époque le père et lui avaient mis l'inconnu… il n'y survivrait pas. Pas LUI !

Elle prit une profonde inspiration puis expira lentement en secouant la tête d'un air résigné.

— J'ai pensé que cette menace s'éloignerait peut-être de nous, mais alors Schoofs a appelé et posé des questions au sujet du puits. C'est là que j'ai su qu'elle avait tout découvert.

Elle déplia son mouchoir et se moucha à grand bruit.

— Cette nuit-là, je ne pouvais pas dormir. Vers minuit, je me suis levée, j'ai regardé par la fenêtre et j'ai vu qu'il y avait encore de la lumière dans la petite maison. J'ai pensé que Paul lui avait cédé la maison pour un loyer dérisoire et que pour tout remerciement, elle allait nous dénoncer. J'étais tellement en colère.

Elle leva la tête et fixa le mur derrière Karl, comme si elle pouvait y revoir le soir dont elle parlait.

Elle s'habilla et sortit dans la cour ; elle voulait se retrouver à l'air libre pour réfléchir à ce qu'il fallait faire. Puis elle arriva sur le chemin de terre. Il faisait nuit noire. Elle s'immobilisa, chercha des phrases, des mots avec lesquels elle pourrait arrêter Rita Albers, mais que pouvait-elle dire ? Tout ce qui lui venait à l'esprit, c'était des menaces vides de sens.

Quand elle se remit en route, elle trébucha sur une touffe d'herbe, tomba, et une fois à terre, fut assaillie par un sentiment d'impuissance qui lui parut insupportable. Au loin, sur la route, des phares blancs trouaient la nuit et des bruits de moteur s'éloignaient. Elle se releva péniblement et se rapprocha de la maison brillamment éclairée, mue par une chaleur rouge qui semblait hurler : fais-la taire.

Elle pénétra dans la propriété par le jardin, vit que la porte de la terrasse était ouverte, et entra. Quand elle s'immobilisa dans le passage, Rita était assise à la table de la cuisine. Elle ne remarqua pas sa présence, plongée qu'elle était dans des documents étalés devant elle. Sur l'une des feuilles, Hanna lut le titre « Mende Fashion ».

La chaleur rouge explosa dans sa tête.

Elle regarda Karl van den Boom. Ses mains reposaient maintenant, parfaitement immobiles, sur ses genoux.

— D'un coup, j'avais son attendrisseur à viande à la main et elle avait la tête posée sur la table au milieu des papiers. Et c'était fini.

Elle avait dit cela avec un étonnement enfantin, et après un court silence, elle ajouta, froidement :

— J'ai emporté le dossier avec les documents et l'attendrisseur. Sur la table de la terrasse, j'ai trouvé ses gants en caoutchouc. J'ai pensé que si ça pouvait ressembler à un cambriolage… Je les ai mis, j'ai dispersé des documents sur le sol, jeté le vase à terre et emporté l'ordinateur portable.

Honteuse, elle baissa la tête.

Karl se leva, alla à la fenêtre et laissa son regard se perdre dans le vert frais du tilleul. Il se demanda s'il devait lui dire que Rita Albers n'avait jamais rien su du puits, et que Schoofs avait simplement voulu se renseigner sur la profondeur à laquelle il devrait creuser.

Il ne dit rien.

Épilogue

Les restes de Friedhelm Lubisch, mort en 1950, furent transférés au cimetière de Kranenburg le 7 mai 1998.

Quand Hanna apprit que le délit commis par Paul – faire disparaître le corps de Friedhelm Lubisch – était prescrit depuis longtemps, elle s'effondra. Elle continua à vivre à la ferme jusqu'à son procès grâce à la caution versée par Therese Mende. En automne 1999, elle fut condamnée à une peine de prison de trois ans dont elle ne purgea que deux. Elle mourut à la ferme Höver en 2007, à l'âge de quatre-vingt-six ans.

Therese Mende réussit à parler à sa fille avant que la presse ne s'empare de l'affaire. Ses avocats la défendirent adroitement et dénichèrent des erreurs de procédure. Elle mourut en 2002, avant l'ouverture de son procès, dans sa maison de Majorque.

Robert Lubisch ne fit pas changer le nom sur la pierre tombale de son père. En 1999, il fit don de la totalité de l'héritage de son père à une association d'utilité publique.

Paul loua la pension pour chevaux à un éleveur et sa famille. Il se réserva le droit à vie de continuer à habiter la maison, et se consacre à son potager.

Composition Nord Compo

Impression réalisée
par CPI Bussière
à Saint-Amand-Montrond (Cher)
en septembre 2013

LE MASQUE
s'engage pour l'environnement
en réduisant l'empreinte carbone
de ses livres.
Celle de cet exemplaire est de :
700 g éq. CO_2
PAPIER À BASE DE   Rendez-vous sur
FIBRES CERTIFIÉES   www.lemasque-durable.fr

N° d'édition : 01. — N° d'impression : 2004110.
Dépôt légal : octobre 2013.
Imprimé en France